L'occupation allemande en France

JEAN DEFRASNE

Deuxième édition corrigée

12ᵉ mille

DU MÊME AUTEUR

La gauche en France de 1789 à nos jours, PUF, coll. « Que sais-je ? », 3ᵉ éd., 1983.
Histoire de la collaboration, PUF, coll. « Que sais-je ? », 1982.
Le pacifisme, PUF, coll. « Que sais-je ? », 1983.

ISBN 2 13 045206 X

Dépôt légal — 1ʳᵉ édition : 1985
2ᵉ édition corrigée : 1993, janvier

INTRODUCTION

La France avait déjà connu l'occupation partielle de son territoire en 1814, en 1870, en 1914. Mais, après la défaite de 1940, c'est la plus grande partie du pays, au nord d'une ligne de démarcation fixée par le vainqueur, qui passe sous contrôle allemand. Bien plus, à la fin de 1942, les Allemands occupent la totalité du pays, et cela jusqu'à leur départ à l'été 1944.

Tandis que Vichy devient la capitale dérisoire de ce qui reste l'Etat français, dans la zone dite libre, Paris devient pour de longues années le centre de l'administration allemande en territoire occupé. Les services de l'armée, de la police, des ministères du Reich s'y installent durablement.

Les Français ont durement ressenti l'occupation. L'armistice, qui devait précéder la paix, restait en vigueur tant que la guerre se poursuivait en Europe. D'année en année les exigences allemandes se faisaient plus lourdes.

Alors que le gouvernement du maréchal Pétain, d'abord accepté par le pays, s'engageait dans la voie décevante de la collaboration, les forces de résistance, pourtant bien faibles au début, se développaient peu à peu à la faveur des échecs du Reich et de ses alliés.

Pour beaucoup de Français, qui n'avaient choisi ni l'aventure ni l'héroïsme, l'occupation a été une période difficile de privations matérielles, de grisaille quotidienne, de désarroi moral. Il en est demeuré un souvenir pénible dans la conscience collective.

On comprend qu'il ait été longtemps périlleux d'écrire sur ce qu'un magistrat appelait en 1945 « quatre années à rayer de notre histoire ». La documentation restait fragmentaire et les passions à fleur de peau.

Le Comité d'Histoire de la Seconde Guerre mondiale, animé par Henri Michel, eut le mérite de faire peu à peu surgir de l'ombre ce passé récent mais encore obscurci. Des historiens étrangers, Hoffmann, Paxton, Jaeckel, apportèrent un éclairage nouveau. Aujourd'hui de nombreux ouvrages ont été publiés, et d'abord dans cette collection, sur la défaite de 1940, le régime de Vichy, la collaboration, la Résistance.

Les Français se passionnent pour une période qui vit un peuple plonger dans l'abîme et en resurgir après avoir surmonté tant d'épreuves.

Il nous a paru intéressant d'analyser ce que fut l'occupation allemande en France, les conditions dans lesquelles elle a été imposée, les organismes qu'elle a créés, le fardeau qu'elle a représenté pour les finances, l'économie, la vie quotidienne des Français. Et aussi les souffrances qu'elle a infligées dans le cadre d'une répression policière de plus en plus sévère.

Centrée sur l'occupation, ses structures et sa pratique, cette étude vise à donner une vue d'ensemble d'une question dont les éléments sont le plus souvent dispersés dans de nombreux ouvrages. Puisse-t-elle contribuer à mieux faire connaître une période pour laquelle on a dit que « ne pas témoigner serait trahir ».

Chapitre Premier

LES CONDITIONS
DE L'OCCUPATION

I. — La défaite de 1940

1. L'attaque allemande. — La France est entrée dans la guerre à contrecœur le 3 septembre 1939 et elle s'est cantonnée dans une étroite défensive : c'est la drôle de guerre. Hitler, par contre, soucieux de liquider rapidement la guerre à l'Ouest afin de tourner ses forces contre l'URSS, a prévu une offensive de grande envergure, une guerre éclair.

L'attaque allemande fixée au mois de novembre fut retardée en raison des intempéries, ce qui permit au général von Manstein de faire prévaloir son plan audacieux d'attaque à la charnière de Sedan. Hitler précisa les missions des grandes unités par sa directive du 18 février 1940. C'est l'opération de Norvège où les Alliés subirent leur premier échec, qui retarda l'opération au 10 mai.

La campagne de France fut courte. Dès le 15 mai le front était rompu. Le corps de bataille français, qui s'était porté en Belgique, se trouvait en péril après que Léopold III eut capitulé le 28 mai. Le coup de faux de Hitler avait réussi. Les armées alliées étaient coupées en deux et les Franco-Anglais acculés au repli sur Dunkerque. La bataille de la Somme était perdue le 10 juin et les avant-gardes allemandes entraient le 14 juin dans Paris, déclaré « ville ouverte ».

Le 10 juin l'Italie avait déclaré la guerre à la France et ce « coup de poignard dans le dos » obligeait à maintenir des troupes sur le front des Alpes.

2. **La débâcle.** — L'Etat-Major français, confiant dans la ligne Maginot, se faisait fort de briser l'offensive allemande. Il fut au-dessous de tout. Weygand, qui remplaça Gamelin en pleine bataille, ne put que donner l'ordre de retraite générale le 12 juin.

Le gouvernement quitta Paris le 10 juin, erra de château en château en Touraine avant de se fixer à Bordeaux le 15. Paul Reynaud, désireux de poursuivre la lutte et de rester fidèle à l'engagement pris avec les Anglais le 28 mars de ne pas conclure d'armistice séparé, eut à faire face aux partisans résolus de l'arrêt des combats. Le 16 juin Reynaud céda la place à Pétain.

Au cours de cette semaine décisive la classe politique apparut divisée, dépassée, portée au défaitisme et à tous les abandons. Laval y joua un rôle important.

Pour les Français, c'est l'exode. Du Nord au Nord-Est d'abord, puis, à partir du 10 juin, de Paris c'est la fuite devant l'occupant. Par millions les réfugiés encombrent les routes, les villes se vident, les notables et les fonctionnaires s'enfuient. Une grande peur accompagne la débâcle de l'armée et l'effondrement de l'Etat.

L'exode parachevait la défaite. Pétain, constatant la victoire allemande, faisait demander à Hitler par l'intermédiaire de l'ambassadeur d'Espagne les conditions de paix et non seulement d'armistice. Le 17 juin le pays consterné entendait le vainqueur de Verdun lui dire dans un message radiodiffusé : « C'est le cœur serré que je vous dis aujourd'hui qu'il faut cesser le combat. »

Le général de Gaulle, persuadé que la bataille de France n'était qu'un épisode d'un long conflit appelait le 18 juin à la résistance. Mais il était bien seul.

3. **Les vues d'Hitler.** — Hitler avait prévu l'effondrement de la France et envisagé pour elle un traitement rigoureux. Il la considérait depuis *Mein Kampf* comme « l'ennemi mortel, l'ennemi impitoyable du peuple allemand ». Il avait fait étudier le tracé de nouvelles frontières. Le général Jodl note dans son *Journal* : « Le traité de paix n'avait qu'un sens pour le Führer, la restitution au peuple allemand des provinces qui lui ont été volées depuis quatre cents ans. »

Mais Hitler ne voulait pas révéler ses intentions. Il avait prévu que l'armistice serait signé à Rethondes, comme pour effacer le souvenir de 1918, et que la délégation française aurait à accepter les conditions de la cessation des combats sans pouvoir les discuter. Le général Jodl précisa bien au général Huntziger qu'il s'agissait d'un armistice : « L'énoncé des conditions de paix doit être réservé à la conférence de la paix. »

Dès le 18 juin, Hitler expliqua à Mussolini que le maintien d'un Etat français «dispenserait de la responsabilité désagréable qu'assumeraient les puissances occupantes en se chargeant, entre autres choses, du domaine administratif ». Il pensait que l'octroi à la France de conditions acceptables aurait l'intérêt de neutraliser les forces qui lui restaient, la flotte et l'empire.

Si l'Angleterre refusait les offres de paix du Reich et que la guerre se poursuive, l'armistice permettrait d'exploiter la France et de surveiller les Français.

Le gouvernement de Vichy espérait obtenir par le biais de la collaboration une atténuation des rigueurs de l'armistice et des conditions de paix honorables. Hitler n'avait nulle envie de répondre à ces offres de rapprochement. Ribbentrop disait à Mussolini en 1941 : « L'idée du Führer est de se faire donner par les Français le maximum de facilités, mais sans s'engager d'une façon quelconque à leur égard. »

L'armistice fut signé par la France avec l'Allemagne le 22 juin et avec l'Italie le 24. Pétain l'annonça au pays dans son appel du 25 juin : « L'armistice est conclu, le combat a pris fin... Les conditions auxquelles nous avons dû souscrire sont sévères. Du moins, l'honneur est-il sauf... Le gouvernement reste libre, la France ne sera administrée que par des Français. »

Il faut avouer que le pays désemparé apprit avec soulagement la fin des combats et qu'il en sut gré au maréchal Pétain.

II. — Les conventions d'armistice

1. **Le « diktat ».** — L'armistice n'était pas, comme c'est le cas le plus souvent, une simple suspension d'armes signée entre deux commandants en chef qui se réservent la possibilité de reprendre les hostilités en cas d'échec des négociations. C'était un accord formel entre deux gouvernements dont l'un, le gouvernement français, prenait l'engagement unilatéral de n'entreprendre aucune action hostile contre le Reich allemand et d' « interdire aux ressortissants français de

combattre l'Allemagne », ce qui allait obliger à pourchasser les résistants.

D'autre part, le gouvernement français devait libérer sans délai les prisonniers de guerre allemands, alors que les prisonniers français seraient maintenus en captivité jusqu'à la paix.

En outre, la France était tenue de « livrer sur demande tous les ressortissants allemands désignés par le gouvernement du Reich et qui se trouvaient en France ». Le général Huntziger protesta en vain contre cette clause déshonorante.

Le contrôle de l'armistice incombait, non à une Commission mixte comme il est de règle, mais à une Commission allemande siégeant à Wiesbaden, auprès de laquelle se trouvait une simple délégation française chargée de représenter les intérêts français et de recevoir les ordres d'exécution du vainqueur.

Les conditions d'armistice étaient donc bien un *diktat* dont le vainqueur se réservait l'interprétation la plus conforme à ses intérêts. Mais sur le moment, et compte tenu de l'ampleur de la défaite, les Français purent estimer que l'armistice était un moindre mal.

2. **Les clauses de l'armistice.** — A) *Les clauses militaires*, très rigoureuses, imposaient, outre la captivité des prisonniers jusqu'à la paix, la démobilisation et le désarmement des forces françaises. Les effectifs de l'armée étaient limités à 100 000 hommes. Les armes en zone occupée seraient remises aux forces allemandes, celles situées en zone sud seraient placées sous contrôle allemand ou italien. Les Allemands se réserveraient la possibilité de se faire livrer en bon état les chars, canons, avions placés sous leur contrôle. Aucune fabrication de matériel de guerre n'était autorisée.

La convention imposait la remise des fortifications,

la cession en bon état des voies de communication, des ports, des chantiers navals. Les avions, y compris ceux qui avaient gagné l'Afrique du Nord, seraient placés sous contrôle. Tout décollage était interdit sans autorisation et les aérodromes pourraient être rendus inutilisables.

Les forces navales bénéficiaient d'un traitement de faveur (art. 8). Le gouvernement du Reich s'engageait solennellement à ne pas utiliser pendant la guerre, à ses propres fins, les navires français stationnés dans les ports sous contrôle allemand. Il affirmait en plus qu'il n'avait pas l'intention de « formuler des revendications à l'égard de la flotte de guerre française, lors de la conclusion de la paix ».

Toutefois, les navires, à l'exception de ceux qui seraient nécessaires pour la sauvegarde de l'empire, devraient être rassemblés dans les ports d'attache du temps de paix et désarmés sous contrôle des vainqueurs.

Le but était d'éviter que la flotte, intacte et invaincue, ne passât du côté des Anglais. Mais la seule garantie de neutralisation résidait dans la parole d'Hitler.

B) *Les clauses économiques* n'étaient pas moins sévères. L'idée directrice, dit une note de la Commission allemande du 18 juillet 1940, est de « porter les exigences à un montant aussi élevé qu'il est compatible avec les capacités de paiement de la France » et aussi « d'intéresser les Français à une fin rapide de la guerre ».

Les navires de commerce français ne devaient pas sortir des ports, ce qui bloquait pour un temps indéterminé les échanges avec les pays étrangers et aussi avec l'empire.

Les transferts de valeurs ou de stocks du territoire occupé vers la zone libre étaient soumis à l'agrément du gouvernement allemand.

Surtout les exigences financières allaient se révéler désastreuses pour la France. Les frais d'entretien des troupes d'occupation, dont ni l'importance ni la durée n'étaient précisées, seraient supportés par le gouvernement français.

C) *Les conditions politiques* pouvaient paraître acceptables. La France était de tous les pays vaincus le seul à garder un gouvernement qui avait les attributs de la souveraineté, comme en témoignait la représentation diplomatique accréditée auprès de Vichy. Elle conservait une armée, une flotte, un empire, même si des contrôles rigoureux étaient prévus.

Mais la France était coupée en deux, et cela devait être une gêne considérable. En effet, « afin de sauvegarder les intérêts du Reich », le pays était partagé en deux zones par une ligne allant de la frontière espagnole à la frontière suisse en passant à l'est d'Angoulême, Poitiers, au sud de Tours, Bourges, Moulins, Dole.

L'occupation de la zone nord était prévue jusqu'à la paix que l'on jugeait proche, puisque les Allemands promettaient de « réduire au strict minimum l'occupation de la côte occidentale après la cessation des hostilités avec l'Angleterre ».

Dans la zone nord, qui était la plus riche du pays, les Allemands exerceraient « tous les droits de la puissance occupante », sans autre précision (art. 3). Le texte ajoutait : « Le gouvernement français invitera immédiatement toutes les autorités et tous les services administratifs français du territoire occupé à se conformer aux réglementations des autorités allemandes et à *collaborer* avec ces dernières. » Une collaboration était donc prévue, mais sur le seul plan administratif.

Il était admis que le gouvernement français pourrait « transférer son siège à Paris ». L'Allemagne lui faciliterait la tâche pour qu'il puisse administrer les deux zones.

L'armistice était donc un cadre contraignant d'autant que l'Allemagne se réservait de l'interpréter à son profit.

La convention avec l'Italie avait moins de portée. Elle était strictement militaire, ne reconnaissait pas les droits de la puissance occupante et limitait l'occupation à une zone peu étendue au sud-est.

L'armistice était sévère, mais il était acceptable à deux conditions : que sa durée soit brève dans la perspective d'une paix prochaine ; que le vainqueur respecte le contrat qu'il avait imposé. Or sur ces deux points le gouvernement de Vichy fut déçu.

Chapitre II

LES STRUCTURES
DE L'OCCUPATION

I. — L'autorité militaire

1. **Le gouverneur militaire.** — Les territoires occupés ont été placés, comme en 1870 et en 1914, sous l'autorité de l'armée de terre (OKH). Son chef, le général von Brauchitsch, confie dès août 1940 l'administration militaire de la France au général Streccius. Celui-ci est remplacé le 25 octobre par le général Otto von Stülpnagel qui prend le titre de « gouverneur militaire en France » (*Militärbefehlshaber in Frankreich*).

Le gouverneur (MBF) est, sur le plan militaire, sous les ordres du commandant en chef du front de l'Ouest, mais pour les problèmes d'administration il relève directement du haut commandement de la Wehrmacht (général Keitel). Au début de l'occupation, il dispose d'une assez large liberté d'action.

Le général Otto von Stülpnagel est un bon représentant de l'aristocratie prussienne. Après une carrière mouvementée, il a repris du service en 1939 et commandé la région militaire de Vienne. C'est un homme âgé, énergique et susceptible, qui réagira brutalement en 1941 aux premiers attentats contre les soldats allemands. Mais, n'ayant aucun goût pour les tâches policières, il obtiendra son rappel au début de 1942.

Il est remplacé le 16 février 1942 par son cousin, Karl-Heinrich von Stülpnagel, qui a présidé la Commission de Wiesbaden. Grand, mince, cultivé, il répugne plus encore que son prédécesseur aux exécutions d'otages. Il accepte volontiers en mai 1942 de laisser la police aux mains du ss Oberg.

Destitué pour avoir participé au complot contre Hitler du 20 juillet 1944, il a pour successeurs le général Blumentritt, puis le général Kitzinger jusqu'au 16 août 1944, date de l'évacuation de Paris.

Le gouverneur assure l'ordre, le ravitaillement et la sécurité des troupes. Il contrôle aussi, avec l'appui des autorités françaises, l'administration et l'économie. Il dispose pour cela de services importants centralisés à Paris et de représentants régionaux.

2. **L'administration militaire.** — Elle est installée à l'hôtel Majestic. Elle est composée de deux états-majors. Le premier est militaire *(Kommandostab)*, il s'occupe des opérations, des prisonniers de guerre, de la propagande, des renseignements et du contre-espionnage. Le chef est le colonel Speidel, ancien attaché militaire à Paris.

Le second est administratif *(Verwaltungstab)*. Il est confié d'abord à un secrétaire d'Etat à l'Economie, Posse, puis au Dr Jonathan Schmidt.

Deux services sont particulièrement importants celui de l'administration confié au Dr Best, nazi convaincu, qui assure la surveillance de la police française et celui de l'économie, dirigé par le Dr Elmar Michel, qui a reçu la consigne de placer toute l'activité de la France occupée au service de l'économie de guerre du Reich.

Le personnel est composé pour l'essentiel de fonctionnaires civils qui ont reçu un statut militaire, mais qui n'en gardent pas moins des liens avec leur ministère d'origine. Les hommes du Majestic, au nombre d'un millier environ, sont ralliés au régime mais peu sont, comme Best, de vrais nazis. « La couleur n'est pas le brun du parti, mais le gris de l'armée » (E. Jaeckel).

Pour l'administration régionale la zone occupée est divisée en quatre circonscriptions : Gross-Paris, Nord-Ouest (Saint-Germain-en-Laye), Sud-Ouest (Angers), Nord-Est (Dijon).

Le commandant militaire du Gross-Paris est sous les ordres du MBF. C'est le général Schaumburg, remplacé en avril 1943 par le général von Boinelburg-Langsfeld, puis en août 1944 par le général von Choltitz qui signe la reddition de la garnison. Le commandant du Gross-Paris a ses services qui contrôlent l'administration (Rademacher), les finances (Kruger) de la ville de Paris. Il a aussi ses troupes pour le maintien de l'ordre.

Dans chaque département, l'administration militaire contrôle les préfectures par l'intermédiaire des *Feldkommandanturs*. Celles-ci ont des services calqués sur ceux du MBF. Les Français doivent obtenir l'accord des bureaux de la *Kommandantur* pour de nombreux actes de la vie courante, et notamment pour les laissez-passer *(Ausweis)* qui permettent de franchir la ligne de démarcation.

II. — L'ambassade

1. **Otto Abetz.** — C'est une personnalité essentielle de l'occupation. Né dans le pays de Bade en 1903,

professeur de dessin, de tendance socialiste, il a subi l'influence de Stresemann et milité très tôt pour le rapprochement franco-allemand. Il a organisé des rencontres de jeunes des deux pays, comme celle du Sohlberg, en Forêt-Noire à l'été 1930. Il s'est lié avec des pacifistes comme le journaliste briandiste Jean Luchaire, dont il épouse la secrétaire, ou des hommes comme Brossolette ou René Cassin.

Il adhère au parti nazi en 1934, aux jeunesses hitlériennes puis au service Ribbentrop où il est conseiller pour les affaires françaises. Il accompagne le ministre des Affaires étrangères à Paris en 1938. Il anime la Société germano-française dont le pendant à Paris est le Comité France-Allemagne. Tout en gardant des relations avec des hommes politiques de gauche, Herriot, Bonnet, de Monzie, il se rapproche d'hommes de droite, tels Thierry Maulnier, Brasillach, Abel Bonnard ou le journaliste de Brinon.

Il reçoit beaucoup, édite des cahiers, fait des conférences au point que son action inquiète le gouvernement Daladier qui exige son départ. Il en ressent une vive amertume et, au moment de la guerre, en 1939, il est nommé chef adjoint du service Ribbentrop, chargé de « préparer la propagande à l'égard de la France ».

Le 14 juin 1940 il est envoyé à Paris par Ribbentrop pour « conseiller » l'autorité militaire. Le 3 août il est nommé ambassadeur du Reich à Paris.

Abetz est chargé d'une curieuse mission. Il est ambassadeur mais à Paris et non à Vichy, auprès du MBF et non du gouvernement français. Il doit exercer son influence sur certains milieux, notamment ceux de l'information, ce qui l'amènera à jouer un rôle important dans la vie mondaine et la collaboration. Il assure un contact permanent avec le gouvernement de Vichy, et ses sympathies vont à Laval, ancien socialiste et pacifiste, et avec la Délégation en zone occupée où il retrouve de Brinon.

Il lui est demandé aussi de renseigner la police secrète où il a un ami en la personne de Knochen, et de veiller à la saisie des œuvres d'art et notamment des collections juives qui suscitent les convoitises allemandes.

Pour mener à bien cette tâche complexe, Abetz ne manque pas de qualités. Il est bel homme, élégant, cultivé et il sait recevoir. Le Tout-Paris devient selon le mot de Céline « le royaume d'Otto ».

Abetz connaît bien la France, mais il ne souhaite pas son redressement. Ribbentrop l'a précisé : « L'intérêt du Reich exige le maintien de la France dans un état de faiblesse intérieure. » Abetz souhaite que la France soit dans l'Europe allemande une province docile, « un jardin et un lieu de plaisir ». Il passe pourtant pour francophile, ce qui lui vaut d'être rappelé en novembre 1942 et de rester en disgrâce pendant un an avant de revenir à Paris.

C'est qu'il a cru à la collaboration et qu'il s'est fait des illusions sur la volonté d'Hitler de ménager la France et de la traiter autrement qu'en pays vaincu.

2. **Les conseillers.** — Abetz a choisi pour animer l'ambassade des hommes connaissant bien la France. Ainsi le conseiller Achenbach, qui a déjà été en poste à l'ambassade avant la guerre, est chargé des problèmes de propagande. Le consul Schleier, prisonnier de guerre en France en 1918, grand blessé, favorable au rapprochement franco-allemand, est l'adjoint d'Abetz pour les questions politiques.

Les affaires culturelles sont confiées au Dr Karl Epting, directeur avant la guerre du bureau d'échanges universitaires, animateur de l'Institut allemand qui organise cours et conférences à Paris et en province.

Abetz peut compter aussi sur le Dr Friedrich Grimm, conseiller d'Hitler, député nazi, auteur d'un livre sur *Hitler et la France* et aussi d'un ouvrage sur Richelieu. Grimm a rencontré avant la guerre des écrivains mais aussi des hommes politiques français comme Déat, Flandin, Laval, Herriot, et participé avec Achenbach à la Société germano-française. Avec le titre de consul général et l'estime supposée du Führer, il fait autorité.

Un autre écrivain offre ses services à l'ambassade, c'est le Dr Friedrich Sieburg. Pour avoir écrit autrefois un livre à succès *Dieu est-il français?*, il passe à tort pour favorable à la France.

En fait, le personnel de l'ambassade souhaite que l'occupation se passe le mieux possible. Les vrais nazis y sont rares, comme le conseiller Rahn, responsable des émissions radiophoniques et surtout le ss Zeitschel chargé des questions juives.

III. — Les services allemands

1. **L'exploitation de la France.** — L'autorité militaire allemande s'était empressée de saisir de nombreux stocks de marchandises en arguant du droit de la guerre. Dès le 20 mai 1940 elle avait affirmé son droit de réquisition illimitée dans les territoires occupés. Après la signature de l'armistice, elle envisageait un assouplissement pour permettre la reprise de l'activité économique, indispensable à la tranquillité intérieure.

Mais le maréchal Goering n'était pas de cet avis. Responsable du plan de quatre ans, et à ce titre de l'économie du Reich, il était bien décidé à traiter la France en pays conquis.

Le 5 juillet le gouvernement français fut informé qu'à Wiesbaden les affaires économiques seraient traitées par une commission spéciale dirigée par le ministre Hans Richard Hemmen.

Celui-ci, tout dévoué à Goering, résolument hostile à la France, s'efforça de mettre à la disposition du Reich le potentiel économique des deux zones. Installé à Paris en juin 1941, il supplanta les services du MBF (Dʳ Michel), ignora l'ambassade dont il dépendait en théorie et exécuta strictement les ordres de Berlin.

Les Allemands exercèrent d'emblée leur contrôle sur les finances françaises par le biais d'un office de surveillance des banques confié au Dʳ Schaefer. Le *Devisendeutschkommando* fut chargé de veiller au trafic de l'or et des devises. La *Reichskreditkasse* s'occupa des changes et de la mise en circulation des marks en territoire occupé.

Le pillage des œuvres d'art fut systématiquement organisé. L'autorité militaire préleva armes et trophées dans les musées de l'Armée et elle confia la « protection » des œuvres d'art au comte de Metternich, gentilhomme bienveillant qui eut scrupule à satisfaire les convoitises de Berlin. Abetz fut plus souple. Il fit établir un catalogue détaillé de tableaux de valeur qu'il confisqua et que le zélé Zeitschell fit partir outre-Rhin.

Puis Abetz fut dessaisi au profit du service Rosenberg. Celui-ci, théoricien du nazisme, raciste forcené, se passionnait pour le pillage des biens juifs. Son représentant en France, le Dʳ von Beer, fit la chasse aux collections publiques et privées et envoya en Allemagne des trains entiers d'objets d'art.

2. **La surveillance policière.** — Avant le 1ᵉʳ juin 1942 les pouvoirs de répression appartiennent exclusive-

ment à l'autorité militaire. Les tribunaux allemands ont juridiction pour tout ce qui concerne la sauvegarde de l'armée d'occupation. Le MBF intervient auprès des tribunaux français soit pour les dessaisir de certaines affaires, soit pour influencer leurs décisions.

En zone occupée la police française est étroitement contrôlée par les Allemands et utilisée à des tâches ingrates : contrôle des voyageurs à la ligne de démarcation, répression du marché noir, arrestation des suspects.

Pour la recherche des renseignements, l'armée a son propre service, l'*Abwehr*, qui s'est installé dès la mi-juin 1940 à l'hôtel Lutetia. L'*Abwehr* dépend en fait de l'amiral Canaris qui vient en personne installer à Paris son adjoint le colonel Rudolf. Des agents sont mis en place dans les principaux centres régionaux, Bordeaux, Nantes, Tours, Rouen, Dijon. Pour avoir une plus grande liberté d'action, les services de l'*Abwehr* sont camouflés en bureaux administratifs ou en organismes commerciaux.

Les militaires entendent bien rester maîtres de la police. Ils disposent pour cela de la *Geheime Feldpolizei*, police des armées à laquelle l'*Abwehr* a recours pour les tâches d'exécution, et de la *Feldgendarmerie*, les militaires « à collier de chien », qui règlent la circulation et veillent à l'observation du couvre-feu.

Mais les services de police du Reich tiennent à être présents dans les pays occupés. Le RSHA *(Reichssichereitshauptamt)*, dirigé par Heydrich, qui groupe la police d'Etat et le service de sécurité des SS *(Sicherheitdienst)*, prend pied en France dès juin 1940, et cela peut-être à l'insu des militaires. Il s'agit d'un *Kommando* d'une vingtaine d'hommes, camouflés sous l'uniforme de la police militaire, sous les ordres d'un jeune universitaire rallié au nazisme, le lieutenant SS

Knochen. D'autres groupes suivent en juillet et en août. En septembre l'ensemble est placé sous la direction du général ss Thomas, représentant d'Heydrich pour la France et la Belgique.

Les services du RSHA sont organisés en sections *(Amt)* : 1) les affaires administratives ; 2) la surveillance de la police française ; 3) la vie économique ; 4) le contre-espionnage (la Gestapo avec le lieutenant Boemelburg) ; 5) la police judiciaire ; 6) le renseignement. Des agents sont envoyés en province, à Bordeaux (Hagen), puis à Dijon et Rouen.

Knochen agit avec prudence. Il obtient l'accord du MBF pour la recherche des adversaires idéologiques du nazisme : émigrés allemands, juifs, francs-maçons, ce que Stülpnagel lui abandonne volontiers.

Mais très vite des frictions apparaissent entre les responsables des divers services, l'autorité militaire (Dr Best), le RSHA, l'ambassade, l'*Einsatzstab* de Rosenberg chargé d'enquêter sur les sociétés secrètes. Tous ces organismes concurrents prétendent utiliser la police française à leur profit et souvent rivalisent de zèle dans la répression.

3. **La propagande allemande.** — Elle est un pilier du régime nazi et elle a montré son efficacité avant et pendant la guerre. Dès le 18 juillet est créée en France la *Propaganda Abteilung*, rattachée en principe à l'administration militaire, mais relevant en fait de la branche « Pays étrangers » du ministère de l'Information du Reich, animé par le Dr Goebbels.

Elle a des antennes en province auprès de chaque *Kommandantur* et s'occupe de tout ce qui concerne la presse, la littérature, la radio, le cinéma. Après quelques heurts avec Abetz, traduisant la rivalité entre les hommes de Ribbentrop et ceux de Goebbels, un accord intervient sur le partage des tâches. L'ambassade garde la censure des livres, les échanges culturels grâce à l'Institut allemand de Paris, la vie mondaine et la recherche de la collaboration.

La *Propaganda* a un tout autre comportement. Elle vise à détruire le rayonnement intellectuel de la France selon les consignes du Dr Goebbels qui précisait dès novembre 1940 : « Le résultat de notre lutte victorieuse sera de briser la prédominance culturelle française. » En attendant elle contrôle la presse, la radio, le film, elle impose les mots d'ordre du Reich.

L'évolution de la presse montre bien l'emprise allemande. Tandis que les journaux repliés en zone sud, *le Figaro*, *le Temps*, *la Croix*, *l'Action française* diffusent les thèmes de la Révolution nationale en évitant soigneusement tout ce qui pourrait choquer le vainqueur, la presse de la zone occupée dépend des services allemands de la *Propaganda*.

Les nouvelles sont transmises par l'agence allemande DNB, l'Agence française d'Information et de Presse du lieutenant Hermès, l'agence Inter France de Dominique Sordet liée à l'agence allemande Transocéan. La censure est assurée par le Dr Eich.

Les autorisations de paraître et le papier nécessaire sont réservés à une Coopérative des Journaux français sous la direction du lieutenant Weber.

Les quotidiens, *le Matin*, *Paris-Soir*, *la France au travail*, *le Petit Parisien*, *l'Œuvre* de Marcel Déat *les Nouveaux Temps* de Jean Luchaire, critiquent les hésitations de Vichy et exigent une collaboration totale avec l'occupant. Il en est de même des hebdomadaires, *la Gerbe*, *Au Pilori*, *l'Illustration*, et surtout *Je suis partout*, où l'on trouve des articles de Brasillach, Drieu La Rochelle, Rebatet.

L'occupant se rendit propriétaire de la moitié environ des journaux par l'intermédiaire du trust Hibbelen. A défaut, il acheta des journalistes : ainsi l'ambassade d'Allemagne versa à la presse parisienne, au dire de Schleier, 300 millions de 1939 à 1943. En outre, certains journaux allemands eurent une édition française, notamment l'hebdomadaire *Signal*. La presse fut ainsi asservie par l'occupant.

Economie, police, propagande, autant de domaines qui vont échapper peu à peu à l'autorité militaire.

Les services allemands se multiplient à partir du moment où l'occupation se prolonge. Il en résulte des pesanteurs administratives, des conflits de compétence, des rivalités d'hommes et de clans dont les responsables français peuvent jouer pour obtenir des atténuations limitées des exigences de l'occupant.

Mais, au début, le commandement militaire contrôle la situation. Afin de pouvoir transmettre plus aisément ses ordres aux administrations françaises, il demande que soit instituée à Paris une délégation du gouvernement français. Ce dernier accepte espérant ainsi affirmer son autorité en zone occupée.

Les relations franco-allemandes s'établissent donc à Wiesbaden où la Délégation française est présidée par le général d'armée Huntziger et à Paris où le délégué du gouvernement de Vichy est Léon Noël, puis le général de La Laurencie, enfin, à partir de décembre 1940, Fernand de Brinon, ami d'Abetz, qui est l'homme de confiance des Allemands.

CHAPITRE III

L'EMPRISE ALLEMANDE

I. — L'amputation du territoire français

1. L'annexion de l'Alsace-Lorraine. — L'armistice ne parlait pas de l'Alsace-Lorraine, mais Hitler était bien résolu à annexer l'ancien *Reichsland*. Il l'avait confié à ses proches lors de sa visite à Strasbourg le 28 juin. Le 15 juillet, la frontière douanière fut ramenée sur la ligne de 1871.

Puis Hitler rattacha la Lorraine au *Gau* de Sarre-Palatinat qui devint le *Westmark*, et l'Alsace au *Gau* de Bade, qui fut appelé *Oberrhein*. Le 7 août deux *Gauleiters* étaient nommés : Joseph Bürckel et Robert Wagner.

En même temps était entreprise la germanisation du pays. Les expulsions frappaient les juifs, les Français venus d'autres départements, les fonctionnaires et les notables suspects de sympathies pour la France. Par contre, les Allemands exigeaient le retour au pays des Alsaciens-Lorrains : habitants évacués en 1940, mobilisés, étudiants.

Dès juillet 1940, les administrations étaient épurées, la langue française interdite, les noms de famille ou

26

de lieux rebaptisés à l'allemande. Hitler précisait ses intentions le 25 septembre : « Les autorités militaires devront traiter l'Alsace et la Lorraine non pas comme des territoires occupés, mais comme une portion de la patrie elle-même. »

Le gouvernement de Vichy, qui n'avait pas été informé officiellement, protesta par la voix du général Huntziger le 3 septembre. Le successeur d'Huntziger à Wiesbaden, le général Doyen, était partisan de la fermeté. Il souhaitait qu'une large publicité fût donnée à la protestation française. Il ne fut pas suivi.

Le maréchal Pétain, dans ses allocutions du 9 octobre et du 30 novembre, se borna à adresser sa sympathie aux populations expulsées. Il multiplia les protestations — plus d'une centaine de 1940 à 1944 —, mais elles ne furent connues que des Allemands qui n'y répondirent jamais.

En fait, les hommes de Vichy semblaient se résigner à la perte de l'Alsace-Lorraine qu'ils considéraient comme la rançon de la défaite. Ils pensaient qu'une opposition trop brutale aux Allemands sur ce point ne servirait à rien et rendrait impossible la politique de collaboration. Cette attitude ne pouvait qu'encourager Hitler à violer, quand il le voudrait, la convention d'armistice.

Pendant quelques jours on put même croire qu'un autre démembrement allait être opéré. Les autonomistes bretons, tout comme leurs homologues alsaciens, avaient eu avant 1939 l'appui du Reich. Le 22 juin le leader du mouvement *Breiz Atao*, François Debeauvais, qui s'était réfugié en Allemagne, arriva à Brest où il reprit la publication de son journal *l'Heure bretonne*.

Au début de juillet, le Parti national breton se réunit à Pontivy et envisagea la création d'un Etat breton. Le général allemand Weyer semblait apporter son soutien aux séparatistes en s'installant à Rennes avec le titre de gouverneur de Bretagne.

L'affaire, montée sans doute par Goering ou Canaris, n'eut pas de suite. Les habitants et le clergé bretons n'y étaient pas favorables. Hitler, réflexion faite, préférait utiliser le maréchal Pétain, qui garantissait la docilité d'une France théoriquement soumise à son autorité.

2. **Les zones interdites.** — A) Les départements du Nord et du Pas-de-Calais, jugés très importants pour la poursuite de la lutte contre l'Angleterre, étaient rattachés le 23 juillet au commandement militaire de Bruxelles.

Les conséquences économiques étaient graves. Le 15 septembre la douane française à la frontière belge était supprimée, les retours des réfugiés interdits, les échanges de blé, sucre et charbon vers la France paralysés, l'organisation de la vie économique confiée à des comités sous contrôle allemand.

Le gouvernement de Vichy s'inquiéta. Il craignait une séparation définitive des deux départements d'avec la France au profit d'un Etat flamand réclamé par les autonomistes. Hemmen répondit le 7 octobre que la décision n'avait été prise que pour des raisons militaires et n'engageait pas l'avenir.

Il n'en restait pas moins que deux départements, parmi les plus actifs, échappaient en fait à l'autorité française.

B) Une autre zone fut délimitée au nord-est tout aussi arbitrairement par la Somme, l'Aisne et une ligne Saint-Dizier - Dole. Elle concernait douze départements. Les réfugiés originaires de cette zone ne furent pas autorisés à y rentrer. Là aussi il était invoqué des nécessités militaires.

En fait, la création de cette zone interdite semble avoir été motivée par des réminiscences historiques et des arrière-pensées d'annexion. Il s'agissait de territoires ayant appartenu autrefois au Saint Empire romain germanique.

L'objectif immédiat était d'en faire un centre de colonisation agricole. Un organisme, l'*Ostland*, fit exploiter par des Allemands environ 110 000 hectares, notamment dans les Ardennes.

Une nouvelle ligne de démarcation était ainsi créée, qui n'avait nullement été prévue par l'armistice. Sur ce point aussi, les protestations de Vichy restèrent sans effet.

II. — Les pressions allemandes

1. **Les prisonniers de guerre.** — L'armée allemande, dans son avance rapide, avait fait 1 850 000 prisonniers, rassemblés en France dans des camps improvisés *(Frontstalags)*. Pendant quelques semaines le bruit courut qu'ils allaient être libérés. Il y eut effectivement des mises en congé et des évasions si bien qu'il en resta 1 500 000.

Comme la guerre se poursuivait, les Allemands pensèrent que ces prisonniers étaient autant d'otages. Il les transportèrent en Allemagne dans des camps, 14 *Oflags* (pour les officiers) et 56 *Stalags*. Par la suite, ils en utilisèrent une partie comme travailleurs dans des fermes ou des usines. Cette captivité de quatre ans marqua durablement ceux qui la subirent et qui eurent à affronter la vie des camps et l'isolement.

Le gouvernement de Vichy se préoccupa très tôt du sort des prisonniers et ce fut un des plus grands soucis du maréchal Pétain. Le 16 novembre 1940, le Reich accepta que la France fût la puissance protectrice de ses propres prisonniers. L'ambassadeur Scapini, aveugle de guerre et collaborateur convaincu, fut chargé de négocier avec les Allemands toutes les questions concernant la captivité.

Le gouvernement français accorda une aide matérielle et morale aux prisonniers et à leurs familles. Il chercha aussi à les gagner aux idées de la Révolution nationale. Il tenta vainement d'obtenir des libérations massives.

Les Allemands ne cédèrent pratiquement rien. Ils se livrèrent même à un véritable chantage, subordonnant l'amélioration des conditions de vie des captifs à la docilité du gouvernement de Vichy.

Par contre, toute mesure qui suscita le mécontentement de l'occupant se traduisit par des sanctions à l'égard des prisonniers : arrêt des distributions de colis, retard dans l'acheminement du courrier, surveillance renforcée.

2. **La ligne de démarcation.** — Ce fut un autre moyen de pression des Allemands, au point que le général Stülpnagel la comparait à « un mors dans la bouche d'un cheval ».

L'armistice avait prévu une simple séparation militaire entre la zone occupée et la zone libre. La ligne, qui isolait à l'ouest et au nord plus de 50 départements, était en principe temporaire, liée à la poursuite de la lutte contre l'Angleterre.

Au début le franchissement était très difficile pour les personnes et pour les biens. Le pays risquait d'être paralysé parce que les deux zones ne pouvaient pas vivre l'une sans l'autre.

Le gouvernement français proposa le 15 juillet que

le passage de la ligne fût libre, mais qu'en échange des agents allemands en civil pussent procéder à des inspections sur l'ensemble des frontières françaises. Pour la réunification du pays, les responsables de Vichy admettaient une plus grande tutelle allemande.

Les autorités militaires étaient tentées d'accepter. Le rétablissement de l'activité française, nécessaire pour une occupation tranquille, impliquait des échanges entre les deux zones. Un contrôle rigoureux allait exiger des forces importantes.

Pourtant l'Allemagne refusa. Des facilités furent accordées pour le trafic ferroviaire, le courrier officiel, les échanges de fonds. Mais la ligne resta une véritable frontière.

La circulation des personnes fut subordonnée à l'octroi de rares laissez-passer accordés par les *Kommandanturs*. La correspondance privée fut limitée à des cartes interzones avec des formules à biffer. Les tentatives pour franchir la ligne en fraude ou faire passer des lettres furent sévèrement punies.

Les conséquences économiques furent graves. Sur 39 millions d'habitants, 25 vivaient en zone occupée et 14 en zone libre. L'essentiel des ressources françaises, à l'exception du vin et des fruits, se trouvait au Nord. La zone libre ne pouvait vivre que si elle recevait blé, viande, lait, sucre, pommes de terre, ainsi que le charbon, le fer, les produits fabriqués qui se trouvaient en zone occupée.

L'ouverture de la ligne fut ainsi un moyen de chantage pour les Allemands. Dès août 1940, à la moindre difficulté, ils bloquèrent le passage, causant de nombreux problèmes aux Français, entravant la souveraineté de Vichy en zone occupée. Ils réagirent ainsi en décembre 1940 après le renvoi de Laval.

Par contre, ils accordèrent quelques facilités en

mai 1941, comme pour saluer Darlan et son engagement dans la collaboration. Mais la ligne demeura une coupure grave malgré l'action de nombreux « passeurs » qui n'hésitaient pas à prendre des risques pour permettre l'accès à la zone libre d'évadés, de juifs, de résistants.

3. **L'illusion de la collaboration.** — Les Allemands étaient bien déterminés à traiter la France en pays vaincu.

Mais comme la guerre se prolongeait, il leur parut habile de laisser espérer au gouvernement français, qui offrait sa collaboration, des atténuations au régime de l'occupation. Ainsi la flotte française resterait neutralisée, l'empire ne passerait pas à la dissidence, la résistance ne serait pas encouragée en France.

Dans ce but Hitler rencontra le maréchal Pétain à Montoire (24 octobre) et on put croire qu'il s'agissait là d'un rapprochement franco-allemand. En fait, Pétain et Laval se trompaient sur les intentions du Führer. Celui-ci n'était nullement disposé à faire de réelles concessions.

A Paris, Abetz favorisa la collaboration, mais au seul profit des Allemands. Son ministre, Ribbentrop, lui avait donné ses instructions dès le 17 août 1940 : « Tout doit être entrepris du côté allemand pour amener la désunion intérieure et l'affaiblissement de la France. »

C'est ainsi qu'en zone nord l'occupant subventionna des mouvements comme le *Rassemblement national populaire* de Marcel Déat et, à un moindre degré, le *Parti populaire français* de Jacques Doriot. Ces partis, qui s'alignaient délibérément sur l'idéologie nazie, reprochaient violemment au régime de Vichy ses réticences devant une collaboration intégrale. Ils exigeaient que la France prît sa place dans l'ordre nouveau imposé par Hitler.

A plusieurs reprises, lorsque le gouvernement français tentait de freiner les exigences allemandes, Abetz le menaça de grouper les collaborateurs de Paris en un parti unique et de constituer dans la capitale un gouvernement qui serait entièrement soumis à l'occupant.

Pour éviter d'être débordé, le gouvernement de Vichy devait donner des gages aux Allemands et, pour exercer sa souveraineté, il demanda le retour à Paris comme la convention d'armistice lui en donnait la possibilité. Mais les Allemands s'y opposèrent et Pétain n'insista pas.

En réalité, Hitler n'éprouvait que du mépris pour les collaborateurs parisiens et il préférait utiliser le prestige du maréchal Pétain, d'autant qu'il pouvait compter sur Laval jusqu'au 13 décembre 1940, sur Darlan, puis à nouveau sur Laval à partir du 18 avril 1942. A Paris, le délégué général du gouvernement de Vichy, à partir de décembre 1940, le journaliste de Brinon, était de longue date acquis à la cause allemande.

Ainsi, la collaboration, à laquelle les Allemands ne croyaient pas, n'était pour eux qu'un moyen d'assurer, par Français interposés, leur propre domination.

III. — Les restrictions de souveraineté

1. **La zone libre.** — La convention d'armistice stipulait que dans la zone libre la souveraineté française s'exercerait pleinement.

Il était prévu seulement des commissions de contrôle des effectifs et du matériel militaires, à qui toutes facilités devraient être accordées par les autorités françaises. La commission allemande était installée à Bourges, le contrôle italien à Gap.

Les rapports avec la commission italienne furent tendus. Les Français estimaient qu'ils n'avaient pas été battus par les Italiens et que l'occupant transalpin devait modérer ses prétentions. Les Italiens demandaient une extension de leur zone pour faciliter les communications de leurs unités. Ils exigeaient la démilitarisation non seulement de la petite armée des Alpes qui les avait tenus en échec, mais de toutes les troupes repliées au Sud-Est. Ils réclamaient un statut privilégié pour le million d'Italiens résidant en zone libre dont ils encourageaient l'action politique en faveur du fascisme.

Les Français tinrent bon et la situation s'améliora en 1941.

Les exigences allemandes étaient beaucoup plus graves. L'article 17 de la convention obligeait le gouvernement français à obtenir l'autorisation allemande pour publier ses décisions en zone occupée. A partir d'août 1940, les Allemands exigèrent que le *Journal officiel de l'Etat français*, parce qu'il avait une édition parisienne, fût astreint à leur censure. Les nominations de préfets et de hauts fonctionnaires furent soumises à l'autorité occupante.

Les commissions de contrôle intervenaient dans l'économie française, décidant l'arrêt ou le déplacement de certaines fabrications. Pour la presse, des directives étaient notifiées au secrétariat général à l'Information : interdiction de diffuser les communiqués alliés, obligation de publier les informations émanant de l'occupant.

A partir de 1941 les interventions se multiplièrent dans les affaires de police et de justice et, en mai 1942, des agents allemands opérèrent officiellement en zone libre. Pourtant, au début de l'occupation, les Français disposèrent d'une certaine marge de manœuvre pour limiter l'emprise allemande.

Les services secrets français, maintenus en activité dans l'armée de l'armistice, rassemblèrent des renseignements sur l'activité des Allemands en zone nord. Les services du contre-espionnage firent la chasse aux agents allemands qui s'infiltraient en zone sud. Pour l'armée de l'armistice, du matériel fut camouflé, des cadres affectés à des services civils, des centres de formation créés comme les Chantiers de Jeunesse.

Mais dans l'armée, et plus encore dans la marine, le ressentiment à l'égard des Anglais l'emportait souvent sur l'hostilité envers les Allemands. La politique officielle de collaboration trouvait un accueil favorable.

2. **L'empire.** — L'armistice pouvait être appliqué aux territoires d'Outre-Mer, mais l'éloignement de certaines colonies d'Afrique noire et d'Asie rendait le contrôle difficile. Par ailleurs, après Mers-el-Kébir et Dakar, il était préférable de laisser au gouvernement de Vichy le soin d'empêcher que l'empire ne passât à la dissidence.

Par contre l'Afrique du Nord et le Levant étaient soumis au contrôle de commissions italiennes installées à Gabès, Alger, et en Syrie. Les Italiens, très méfiants, fixèrent à 30 000 hommes les effectifs français autorisés en AFN.

Les Allemands contrôlaient avec les Italiens, à partir des ports méditerranéens de la métropole, le trafic entre la France et l'Afrique. En 1941 ils installèrent une délégation à Casablanca et à Alger.

Ils ne tardèrent pas à s'intéresser aux échanges commerciaux avec l'empire. Dès l'été 1940 ils se firent céder divers produits, arachides, cacao, okoumé et réclamèrent leur part du fer d'Algérie, des phosphates du Maroc, du graphite de Madagascar.

En dépit des contrôles, les Français réussirent à accroître les effectifs de l'armée d'Afrique, portée à 120 000 hommes. Des unités auxiliaires furent constituées avec d'anciens soldats indigènes encadrés par des officiers de réserve. Mais, malgré les efforts du général Weygand, l'armement resta médiocre. On réussit toutefois à dissimuler des armes modernes, mais en nombre insuffisant.

Le gouvernement de Vichy demanda aux Allemands le renforcement des troupes d'Afrique « pour ramener à la France nos possessions dissidentes ». Mais le Reich n'avait pas confiance dans les troupes françaises et il craignait de leur livrer des armes qui pourraient un jour être retournées contre lui.

Là aussi l'engagement dans la collaboration ne permettait pas à l'Etat français d'utiliser à plein ces deux atouts que constituaient la flotte et l'empire. Il n'allait pas réussir à desserrer l'emprise allemande.

CHAPITRE IV

L'OPPRESSION FINANCIÈRE

I. — L'indemnité d'occupation

1. Les prétentions allemandes. — Les Allemands avaient prévu les clauses financières du traité de paix imposé à la France vaincue : une indemnité de 20 milliards de marks-or, des réparations en nature, la cession d'avoirs français dans la métropole et dans l'empire. Mais comme la guerre se poursuivait, il fallait d'abord appliquer la convention d'armistice.

L'article 18 précisait : « Les frais d'entretien des troupes d'occupation allemandes sur le territoire français sont à la charge du gouvernement français. »

Les dispositions semblaient claires, mais des difficultés surgirent sur deux points : l'importance des effectifs dits d'occupation, et le cours du mark en francs, puisque l'indemnité était libellée en marks. Les Français souhaitaient une négociation sur ces deux questions.

Hemmen, qui avait reçu des consignes très fermes, remit une note impérative le 8 août : l'effectif étant difficile à évaluer, le paiement se ferait sous forme d'acomptes, soit 20 millions de marks par jour au taux de 20 F pour 1 M. Il s'y ajoutait les frais de cantonnement que le gouvernement français rembourserait directement aux logeurs.

Le général Huntziger, à Wiesbaden, protesta. La France allait devoir verser 400 millions de francs par jour, de quoi entretenir 18 millions de soldats.

Hemmen avait précisé que le règlement commencerait au 25 juin et se ferait chaque fois d'avance pour une durée de dix jours.

Les Français tentèrent d'en appeler à Hitler mais devant les menaces d'Hemmen ils payèrent les sommes exigées le 21 août.

Au début de septembre, Huntziger, nommé ministre de la Guerre, quitta Wiesbaden où il fut remplacé par le général Doyen et, pour les questions financières, par M. de Boisanger, gouverneur de la Banque de France. Celui-ci obtint un allégement des frais de cantonnement qui donnaient lieu à des abus.

Parallèlement on se prit à espérer qu'à la faveur de la politique de collaboration il serait possible de fléchir la rigueur allemande. Un mémorandum français fut rédigé le 16 octobre pour demander une réduction de l'acompte journalier. On pensa même à le faire remettre directement à Hitler par Pétain lors de l'entrevue de Montoire (24 octobre).

En fait, le texte fut transmis à Hemmen qui n'y répondit pas. Vichy décida alors de ne pas verser l'échéance du 30 novembre puis, malgré les protestations d'Hemmen, celle du 10 décembre.

Là-dessus intervint la révolution de palais qui élimina Laval le 13 décembre. La collaboration n'était pas remise en cause, mais les Allemands trouvaient là un prétexte à faire « grise mine ». Le 16 décembre, Hemmen transmit à Boisanger un véritable ultimatum. Faute de paiement dans les vingt-quatre heures, il y aurait des sanctions graves. Vichy alors se soumit.

2. **Le jeu des négociations.** — Au début de 1941, les Allemands se rendirent compte qu'ils ne pouvaient dépenser en France la totalité des sommes reçues. Ils souhaitèrent en transférer une partie en Allemagne sous forme de valeurs réelles. Pour cela, il fallait négocier.

Le 29 mars, Hemmen se déclara prêt à discuter une réduction de l'acompte, moyennant l'institution de trois commissaires allemands au commerce extérieur, aux devises et à la Banque de France.

Le général Doyen à Wiesbaden et le ministre des Finances, Bouthillier, à Vichy n'auguraient rien de bon de cette négociation. Mais Darlan, qui se préparait à rencontrer Hitler le 11 mai, fit accepter l'installation des trois commissaires et reconnut officiellement le cours du mark fixé arbitrairement par les Allemands.

En échange, le passage de la ligne de démarcation fut facilité et les frais d'occupation réduits de 400 à 300 millions de francs.

Darlan vit là un encouragement pour sa politique de collaboration. Il allait signer les Protocoles de Paris (28 mai), qui mettaient à la disposition des Allemands la Syrie, la Tunisie et Dakar.

Les négociations se poursuivirent à Wiesbaden. Les Allemands souhaitaient qu'une fraction des versements fût effectuée sous forme de participations financières. Les Français redoutaient que les Allemands n'utilisent leurs réserves de francs, 60 milliards en juin 1941, pour amener l'effondrement des finances françaises. Ils s'abstinrent de verser les échéances des 20 et 31 mai.

Hemmen confirma la réduction à 15 millions de de marks à condition que 3 se fassent sous forme de transferts (1,5 en marchandises, 1,5 en participations). Le 3 juillet il diminua la somme à 13 millions dont

3 transférés. Rien ne fut décidé et les Français reprirent le paiement des 300 millions de francs.

Le gouvernement de Vichy tenta d'obtenir une diminution de l'indemnité lorsque Pétain rencontra Goering à Saint-Florentin (1er décembre) et lorsque Bouthillier écrivit au ministre des Finances du Reich. Aucune suite ne fut donnée aux demandes françaises.

Laval, revenu au pouvoir le 18 avril 1942, prit son ami Cathala aux Finances. Il pensait qu'une collaboration plus active permettrait une réduction de l'acompte, mais il n'obtint rien et la France continua à payer 300 millions.

3. **La loi du plus fort.** — Le 11 novembre, les Allemands occupaient la zone sud et ils assumaient de nouvelles charges en France. Hemmen, le 15 décembre, demanda 500 millions « à titre de contribution à la défense des côtes françaises de la Méditerranée et pour le ravitaillement des troupes d'occupation ».

Conscient des conséquences que cette nouvelle ponction allait avoir sur les finances françaises, Hemmen proposait l'institution d'un « conseiller plénipotentiaire » qui veillerait à la stabilité du franc, et qui serait Hemmen lui-même.

Malgré la réticence des milieux financiers, Laval accepta les 500 millions le 12 janvier 1943. Il obtint seulement qu'il n'y eût pas de conseiller allemand.

Cathala, qui craignait des difficultés avec la Banque de France pour de nouvelles avances, imposa par une loi les exigences du gouvernement. La France accepta de payer les 500 millions à dater du 11 novembre 1942. Quand l'Italie capitula en septembre 1943, Hemmen réclama et obtint que le milliard de francs par mois, versé jusque-là aux Italiens, le fût désormais aux Allemands.

Le 6 juin 1944, avec le débarquement allié, s'engageait la bataille décisive. Hemmen demanda d'abord que le versement d'avance soit mensuel. Puis il « pria » poliment M. de Boisanger à Wiesbaden de porter la somme à 700 millions, ce qui lui fut refusé.

Hemmen revint à la charge pour obtenir rapidement un versement anticipé de 16 milliards et Laval, le 10 août, lui en accorda 8 que Cathala dut prélever en partie sur les avances ordinaires de la Banque à l'Etat.

Hemmen quitta Paris le 17 août, mais il continua à exiger des versements que Laval, privé de pouvoir, refusa. Il en fut réduit à piller dans les villes de l'Est les succursales de la Banque.

Le montant total de l'indemnité d'occupation a été évalué à 681 866 000 000 de francs. En outre les frais annexes de logement n'ont cessé d'augmenter. Les Allemands ont multiplié les aménagements immobiliers, parfois luxueux, non seulement pour les militaires, mais aussi pour les services civils travaillant pour eux. Ce tribut complémentaire est de 48 384 000 000 de francs.

II. — Les appétits allemands

1. **La chasse à l'or.** — Le Reich nazi prétendait mépriser l'or, symbole du capitalisme. En fait, dès le début de l'occupation, les Allemands firent tout pour s'emparer de l'or disponible.

Hemmen voulut connaître les réserves d'or de la Banque de France et M. de Boisanger lui donna satisfaction bien qu'il n'y fût pas tenu par la convention d'armistice.

Une partie de l'or avait été mise en lieu sûr en Amérique et en Afrique. Les Allemands demandèrent le rapatriement de l'or qui avait été envoyé à Dakar. Ils exigèrent la livraison de l'or polonais confié à la France. Ils se heurtèrent à un refus.

Par contre les Français acceptèrent de livrer l'or belge après un marchandage infructueux sur le taux du mark. Laval imposa à Bouthillier à la veille de Montoire cette cession de l'or belge.

Les autorités militaires surveillèrent par le service de la garantie les transactions d'or et, par la création d'un « livre de police », l'activité des bijoutiers et des joailliers. Le trafic de l'or devint une spécialité du marché noir allemand.

L'occupant exigea de connaître les dépôts en devises, or et objets précieux dans les coffres des banques. Il fit des perquisitions et confisqua l'or, acceptant dans le meilleur des cas de dédommager les possédants avec les francs de l'indemnité.

2. **Les participations financières.** — Les Allemands souhaitaient acquérir des participations dans des entreprises françaises, soit parce que leur activité s'exerçait dans des pays tombés sous la domination allemande, par exemple en Europe centrale, soit parce qu'elles présentaient pour le Reich un intérêt militaire ou politique.

Le gouvernement de Vichy se méfiait. Il avait d'abord soumis les acquisitions à l'autorisation du ministère des Finances, puis limité la cession de capital à 30 %. Bouthillier avait donné comme directive de subordonner les ventes de parts à des contreparties dans des affaires à l'étranger.

Les Allemands s'approprièrent la compagnie des mines de cuivre de Bor en Yougoslavie. Après avoir expulsé les directeurs français, ils firent une offre d'achat. Laval prit sur lui de leur donner satisfaction, moyennant paiement avec des créances françaises détenues par les Allemands.

L'occupant acquit aussi, et cette fois avec l'argent français de l'indemnité, les sociétés minières et métallurgiques que la France possédait en Pologne.

Il fit main basse sur les intérêts français dans les banques hongroises et le pétrole roumain.

Après de longues négociations, l'*IG Farben* s'assura le contrôle de l'industrie française des colorants. Le ministre de la Production industrielle, Pierre Pucheu, accepta, en septembre 1941 l'entrée des groupes français dans le trust *Francolor* dont les Allemands détenaient 51 % du capital.

Le gouvernement français connaissait l'importance de l'agence Havas pour l'information et la publicité. Il admit pourtant la cession de 47,6 % de ses actions au groupe allemand *Mundus*. La famille Mumm obtint en avril 1941 51 % des actions de la Société vinicole de Champagne. Les Allemands prirent pied dans de nombreuses affaires, comme les Galeries Lafayette, à la faveur de l'aryanisation des entreprises et de l'installation d'administrateurs provisoires à leur dévotion.

Ils ne purent cependant atteindre leur but, notamment pour l'aluminium et le pétrole, en raison de la fermeté de hauts fonctionnaires français comme Jacques Barnaud, délégué général pour les affaires franco-allemandes, ou encore Couve de Murville.

3. **L'accord de compensation.** — Dès les premières réunions de la Commission de Wiesbaden, les délégués allemands parlèrent d'un accord de compensation *(clearing)*, dont le projet fut remis par Hemmen à Huntziger le 8 août 1940.

Il était prévu que les importateurs allemands verseraient à Berlin, en marks, le montant de leurs acquisitions en France et qu'un Office de Compensation paierait les exportateurs français en francs.

Toutefois, on ne se souciait pas de savoir si l'Office français aurait des francs en quantité suffisante. S'il en manquait, il s'adresserait au gouvernement qui les lui ferait livrer par la Banque de France. Or, il était bien évident que les échanges ne seraient pas équilibrés — condition pour qu'un accord de *clearing* soit valable — et que la France enverrait à l'Allemagne beaucoup plus de produits qu'elle n'en recevrait.

Ce déséquilibre organisé permettait aux Allemands d'obtenir au meilleur compte, grâce à 1 mark à 20 francs, tous les produits qu'ils désireraient en France occupée ou non, et même dans l'empire, car le *clearing* concernait aussi l'outre-mer. Le gouvernement de Vichy protesta mollement et tenta de freiner les exportations en les taxant.

Mais, après l'entrevue de Montoire, dans l'illusion d'une future collaboration, les Français signèrent l'accord le 14 novembre. Il en résulta une très lourde charge qui fut évaluée en août 1944 à 163 327 000 000 de francs.

Ainsi, sur le seul plan financier, le poids de l'occupation a été de l'ordre de 900 milliards. Pour mieux en apprécier la gravité, il faut rappeler qu'en 1938 l'ensemble du budget de la France, d'ailleurs en déséquilibre car les dépenses s'étaient accrues à la veille de la guerre, était de 82 milliards. En 1942 le budget était porté à 142 milliards, mais la seule indemnité d'occupation était de 169.

Les charges considérables imposées par l'Allemagne ne pouvaient être couvertes que par l'emprunt et l'inflation.

Chapitre V

LE PILLAGE ÉCONOMIQUE

I. — Une organisation méthodique

1. Les visées allemandes. — Hitler comptait bien utiliser toutes les ressources des pays occupés pour la poursuite d'une guerre qu'il espérait gagner rapidement.

Dès le 20 mai 1940, l'armée allemande s'était octroyé un droit de réquisition illimitée, à l'exception de ce qui serait laissé pour la consommation des ménages. Elle contrôlerait les stocks, le ravitaillement, les échanges et assurerait la reprise de la vie économique dans l'intérêt de l'occupant.

L'autorité militaire avait donc saisi les stocks militaires français souvent abandonnés intacts lors de la retraite. Elle avait aussi pillé les entrepôts civils et envoyé en Allemagne d'énormes quantités de vivres ou de matières premières.

Ainsi à Bordeaux elle avait saisi des stocks de produits coloniaux et 400 000 hl de vin. Elle avait pris à Lyon 25 000 t de vivres et de produits industriels. Le vainqueur invoquait alors le droit de la guerre.

La convention d'armistice semblait limiter les exigences allemandes. L'occupant allait devoir acquérir vivres et produits par des moyens commerciaux normaux. Mais en se réservant tous les droits de la puissance occupante, ce qui permettrait bien des abus, et surtout en s'assurant des sommes considérables au titre de l'indemnité (art. 18), le Reich avait les moyens de faire tourner l'économie française à son profit.

La volonté allemande d'exploitation apparut clairement lorsque le maréchal Goering, responsable du plan de quatre ans, décida d'ôter les questions économiques aux militaires et d'instituer à Wiesbaden la commission dirigée par Hemmen. Celui-ci devait « placer l'économie de la zone occupée au service de l'économie de guerre allemande ».

Le gouvernement français espérait grâce à la collaboration un desserrement de l'étreinte allemande. Bouthillier constata amèrement que l'entrevue de Montoire n'avait en rien allégé le poids de l'occupation. Plus tard, Hemmen précisa à Laval : « Ce ne peut être qu'une collaboration à l'intérieur de l'ordre économique allemand. »

L'autorité militaire, en effet, s'était appliquée dès juillet 1940 à contrôler la vie économique de la zone occupée : blocage des prix et des salaires afin de garder au mark tout son pouvoir d'achat, fixation des contingents de produits agricoles réquisitionnés, inventaire des stocks de matières premières, relance de l'activité industrielle dans les secteurs utiles à l'Allemagne : travaux publics, aéronautique, automobile, chimie, transports.

Par ailleurs, les Allemands, pour autoriser la reprise des contacts avec l'empire, exigeaient des livraisons de produits coloniaux : huiles, café, phosphates. Ils intervenaient en zone sud, passant des commandes aux usines d'armement.

En avril 1941, Pucheu, responsable de la Production industrielle, s'engageait à faire du matériel de guerre pour l'Allemagne. L'accord de Wiesbaden en juillet 1941 prévoyait la construction de 200 avions pour la *Luftwaffe*.

Hemmen constatait en janvier 1942 : « Les Français employés dans l'industrie, les chemins de fer, la navigation fluviale et la majeure partie de la marine marchande travaillent presque exclusivement pour le Reich... Aucun autre pays d'Europe ne compte pour une aussi large part dans les armements et mêmes les marchandises importées... Les commandes allemandes sont le facteur déterminant de l'économie française. »

L'emprise allemande se renforça encore lorsque le Reich subit ses premiers échecs. Hitler annonça le 26 avril 1942 que la contribution des pays occupés à l'effort de guerre devrait être accrue.

Goering fut plus net encore le 6 août affirmant les droits du conquérant : « Autrefois on pillait. Celui qui avait conquis le pays disposait des richesses de ce pays. A présent, les choses se font de façon plus humaine. Quant à moi, je songe tout de même à piller, et rondement. »

Laval, revenu au pouvoir, admit le recrutement de travailleurs français pour l'Allemagne, sans pouvoir satisfaire les exigences toujours accrues du *Gauleiter* Sauckel. Une partie de la flotte marchande française fut livrée aux Allemands. Les usines françaises travaillant pour le Reich en guerre tournèrent à plein après accord entre le ministre de l'Armement Speer et le ministre de l'Industrie Bichelonne, passionné par une expérience d'économie dirigée dont il oubliait qu'elle était faite au seul intérêt de l'Allemagne.

A partir de novembre 1942 et de l'occupation totale du pays, l'économie française, à l'exception de quelques secteurs comme l'aluminium ou l'armement, régressa régulièrement.

Privée de main-d'œuvre, de matières premières, soumise aux bombardements alliés, elle fut écrasée par les prélèvements accrus des Allemands.

2. **Les services officiels.** — L'administration militaire a pour chef de la section économique le Dr Elmar Michel. Dès juillet 1940, en technocrate rigoureux, il a placé l'économie française sous la dépendance du Reich. Avec habileté il a noué des relations correctes avec les industriels français et les dirigeants des comités d'organisation créés par Vichy.

« La collaboration, constatait-il dès 1942, avec les divers services et organismes français, à de très rares exceptions près, n'a nullement été cause de déceptions... Par l'utilisation des services officiels français on met clairement en évidence la responsabilité du gouvernement français et les mesures, parfois très rudes, qu'il y a lieu d'adopter, sont ainsi imposées à la population de la manière la plus efficace. »

L'armée utilise d'abord pour le paiement de ses achats des bons de réquisition, puis elle les couvre grâce à l'indemnité d'occupation versée par le gouvernement français à la *Reichskreditkasse* de Paris.

Chaque unité militaire dispose d'un service d'achat *(Dienstelle)* chargé d'acquérir produits et matériels destinés aux besoins des troupes et des services annexes : cantines, foyers du soldat. L'aviation a ses propres organismes qui opèrent des achats considérables, comme ceux de la *Luftwaffe* d'Etampes qui se comptent par centaines de millions. La marine a un bureau central à Paris et des agences en province, comme celle de la Chapelle-sur-Erdre (Loire-Atlantique), spécialisée dans la recherche des métaux non ferreux. Elle dispose de vastes entrepôts comme les Magasins d'Aubervilliers.

A côté de la *Wehrmacht* existent des services auxiliaires de l'Armée comme le BDK ou GBK *(Kraftfahrwesen)* qui doit fournir le matériel automobile et veiller à son entretien. En dehors des commandes passées aux usines françaises, le GBK a sans doute prélevé près de 100 000 camions et voitures.

D'une tout autre ampleur est l'Organisation Todt, chargée des travaux de génie militaire : aérodromes, mur de l'Atlantique, bases sous-marines, aire de lancement des V1...

L'*Org Todt* a fait main basse sur les matériaux, l'outillage de chantier, les moyens de transport et quantité d'articles courants qui disparurent du marché.

D'autres organismes avaient leurs bureaux d'achat : le Parti nazi (NSDAP), la police du Reich (RSHA), qui avait en charge l'espionnage économique et qui utilisait des trafiquants comme agents de renseignement, la *Reichsbahn* qui organisait le transport par voie ferrée des produits destinés à l'Allemagne.

3. **Le marché noir allemand.** — Aux prélèvements des services officiels s'ajoutaient les achats allemands réalisés par des organismes plus ou moins clandestins étroitement liés aux trafiquants français.

Il y avait d'abord les achats individuels des soldats allemands. Ceux-ci se pressaient dans les magasins de l'alimentation, du textile, du cuir, pour emporter en Allemagne lors de leurs permissions ou expédier par la poste des quantités de produits.

En même temps les organismes militaires *(Dienstelle)* procédaient à des achats massifs de marchandises. Ainsi la Marine disposait à Paris, rue Saint-Florentin, d'un bureau spécial dirigé par le Dr Klaus qui recherchait les tapis, les parfums, les articles de cuir, sans rapport direct avec les besoins des unités.

Plus actifs encore étaient les bureaux d'achat clandestins. Dirigés par des trafiquants allemands ou étrangers opérant sous des faux noms, ces bureaux utilisaient les services de démarcheurs accrédités au moyen de certificats qui leur permettaient d'échapper au contrôle de la police française. Ces courtiers étaient en même temps des agents de la police allemande qui s'assurait leurs services en leur réservant une part des fabuleux profits du marché noir.

Le plus caractéristique est le Bureau Otto, établi rue Adolphe-Yvon à Paris (XVIe) en 1941 et disposant d'immenses entrepôts à Saint-Ouen (sur 3 ha), Saint-Denis, Nanterre.

A l'origine son chef est le colonel Brandel (Otto), un homme de l'*Abwehr*, mais qui travaille bientôt pour les ss avec son adjoint Radecke. Le bureau Otto achète au prix fort toutes sortes de marchandises : tissus, métaux, outillage. En 1942, il rafle 15 à 20 000 t de cuirs verts et la majeure partie des cuirs tannés, ce qui compromet l'approvisionnement en chaussures de la population française.

D'après les comptes de la maison Schenker, chargée des transports pour le bureau Otto, celui-ci, en vingt mois, de juillet 1942 à août 1944, a acheté pour 50 milliards de francs.

C'est aussi en liaison avec le bureau Otto que trafiquaient les agents français de la Gestapo, Rudy de Mérode, Masuy, Laffont, ainsi que les spécialistes du marché noir, Szkolnikoff pour les tissus, Joanovici pour la ferraille.

Des bureaux allemands se spécialisaient dans l'exportation comme le ROGES *(Rohstoff Handels Gesellschaft)* du groupe Goering, la Société intercommerciale, place Vendôme, qui a acheté en zone sud plus de 15 000 véhicules, les bureaux *Sonnex*, *Ibex*, *Sodeco*...

Les ss avaient un bureau particulier, rue du Général-Appert, dirigé par le major Engelke, qui se procurait les cuirs, les tissus, les métaux par l'intermédiaire de *Pimetex* ou directement par Szkolnikoff dont les bénéfices ont été évalués à 2 milliards de francs. Les ss avaient d'importants entrepôts à Charenton, La Chapelle, La Villette.

Le marché noir désorganisa l'économie française à un point tel qu'elle risquait de ne pouvoir faire face à ses obligations envers le Reich. Par ailleurs la corruption gagnait les militaires allemands. Le Dr Michel, après accord avec Bichelonne, décida de fermer les bureaux d'achat parisiens le 13 mars 1943. En échange, il aggrava les prélèvements réguliers.

En fait l'exploitation de l'économie française se poursuivit sans répit jusqu'à la retraite allemande.

II. — Un bilan désastreux

1. **L'agriculture.** — La production agricole française, en dépit de quelques progrès, restait en 1938 inférieure aux besoins. La guerre aggrava la situation, privant les campagnes de main-d'œuvre, de machines, d'engrais. L'indice de production passa de 100 en 1938 à 69 en 1944.

Les prélèvements allemands résultant de programmes d'impositions fixés pour chaque campagne s'élevèrent de 10 à 15 %. Mais une part de l'autoconsommation paysanne, qui atteignit 40 % contre 20 % auparavant, fut destinée au marché noir allemand.

La population française disposa donc de moins de la moitié de la production, ce qui explique le strict rationnement imposé dès le 19 septembre 1940.

Les exigences allemandes portèrent sur les céréales, 2 950 000 t de blé — soit la moitié d'une récolte annuelle — et 2 350 000 t d'avoine et d'orge ; sur la viande, 891 000 t — soit en 1943 40 % de la production ; sur le lait, 26,4 millions d'hectolitres, et le vin, 12 millions d'hectolitres.

Par ailleurs, il fut prélevé 1 million de tonnes de fruits et légumes, 500 000 t de pommes de terre, 298 000 t de sucre.

Les nécessités de la guerre amenèrent la saisie de 750 000 chevaux et mulets, la plus grande partie dès l'été 1940, ce qui diminua les attelages et amena le retour des bœufs.

De nombreux produits manquèrent dans les campagnes par la faute de l'occupant : fers à cheval, harnais de cuir, sisal pour lier les gerbes, sulfate pour traiter la vigne...

2. **L'industrie.** — L'activité industrielle, prise dans son ensemble, a nettement fléchi. De l'indice 100 en 1938, elle est passée à 54 en 1941, 45 en 1943, 33 en 1944.

Dans le domaine de l'énergie, elle eut à souffrir d'une pénurie de pétrole, d'un recul du charbon (52 millions de tonnes en 1938, 42 en 1943, 26 en 1944), d'un fléchissement de la production électrique à partir de 1943. Les prélèvements allemands furent importants : 63 millions de tonnes de charbon, 16 milliards de kilowatts-heures.

Les ressources minières furent exploitées au maximum. Dès septembre 1940, les Allemands avaient exigé d'importantes livraisons de bauxite dont la production monta de 54 000 à 70 000 t par mois. Ils se firent céder du cuivre, du minerai de fer (78 millions de tonnes en comptant celui de la Moselle annexée), des phosphates d'Afrique du Nord. Ils se procurèrent des quantités de bois par des coupes claires dans les massifs forestiers.

Les industries de transformation, qui dépendaient de l'occupant pour l'énergie et les matières premières, tournèrent en fait pour l'Allemagne, l'aéronautique à 100 %, l'automobile, le bâtiment, les chaux et ciments, les constructions navales à 75 %, la peinture, le caoutchouc, la chimie à plus de 60 %. Pour le textile, les accords Kerhl du 1er février 1941 réservèrent aux Allemands 60 % des tissus fabriqués.

Il s'y ajouta le transfert en Allemagne de matériel industriel et de 35 000 machines-outils, l'occupant s'étant réservé dès 1940 le droit de démanteler les usines dont la production n'était pas liée à son effort de guerre. Ainsi beaucoup d'entreprises disparurent et, avec elles, les articles de consommation courante qu'elles fabriquaient jusque-là.

3. **Les transports.** — La SNCF a perdu 20 % de son parc de locomotives, 42 % de ses wagons de voyageurs et plus de 60 % de ses wagons de marchandises. Elle a dû cependant avec des moyens limités faire face à un trafic qui s'est accru jusqu'à la fin de 1943, les hommes et le matériel étant soumis à un effort considérable.

Or, la SNCF, dont le rôle fut capital pour les Français, fut aussi très sollicitée par les Allemands qui prirent une part grandissante du trafic : 19 % en 1940, 38 % en 1942, 57 % en 1944.

Les transports routiers ont été amputés de 750 000 véhicules, soit le tiers du parc automobile de 1938. La navigation intérieure a perdu 84 % des péniches et 55 % des remorqueurs.

Quant à la marine marchande, elle a été réduite de moitié à cause des prises de guerre (55 000 tonneaux), des réquisitions (383 000 tonneaux) et des contrats d'affrètement en 1942 et en 1943 (accords Kaufmann-Laval), mettant à la disposition du Reich plus de 600 000 tonneaux.

Le total des pertes de l'économie française du fait des spoliations allemandes a été évalué à 538 milliards de francs, qui s'ajoutent aux prélèvements financiers. En outre, 13 millions d'heures de travail, représentant plus de 100 milliards de francs, ont été imposés par les Allemands aux Français, et c'est une des charges les plus lourdes de l'occupation.

III. — Le travail pour l'Allemagne

1. **L'appel aux volontaires.** — L'Allemagne n'avait pas hésité en 1914-1918 à imposer le travail forcé aux populations occupées. Hitler, dès mai 1939, s'était déclaré résolu à utiliser la main-d'œuvre dans les pays conquis et, au début de 1940, il avait confié cette mission à l'ingénieur Todt, ministre de l'Armement.

Au cours de l'été 1940 les entreprises allemandes commencèrent à recruter des travailleurs français : par exemple 589 métallurgistes envoyés à l'usine Krupp à Essen. Alors que le nombre des chômeurs dépassait le million, comment les ouvriers n'auraient-ils pas été sensibles à la propagande allemande qui promettait de hauts salaires et de bonnes conditions de vie et de travail ?

Le gouvernement de Vichy, après avoir donné son accord le 20 novembre 1940, s'était employé à encourager le départ de volontaires pour l'Allemagne. Ainsi le ministre du Travail Belin avait adressé une circulaire confidentielle aux préfets le 29 mars 1941, où il disait : « L'Allemagne contribue à la diminution du chômage en France en donnant aux travailleurs qui y demeurent la possibilité de travailler en Allemagne... Il convient de collaborer loyalement avec les services allemands dans leur effort pour recruter de la main-d'œuvre volontaire. » Au début de 1942, un service de la main-d'œuvre française en Allemagne fut confié à l'ingénieur Bruneton.

Les Allemands, de leur côté, tout en favorisant les entreprises qui travaillaient pour eux, les *Rüstung-Betriebe* (1), s'efforcèrent d'acculer à la fermeture des usines françaises dont ils espéraient récupérer les ouvriers. Cependant le volontariat fut un échec. D'août 1940 à juin 1942, il serait parti moins de 150 000 travailleurs. Mais beaucoup revinrent en France et il n'en restait que 70 000 au printemps 1942.

Les Allemands envisagèrent alors une action plus énergique. Le Dr Michel exigea le recrutement de 150 000 spécialistes. Hitler nomma le 21 mars Sauckel, *Gauleiter* de Thüringe, réputé pour sa dureté, comme « plénipotentiaire au recrutement et à l'emploi de la main-d'œuvre ». Au même moment il confiait tous les pouvoirs de police au général ss Oberg.

C'est dans ce contexte d'un raidissement de l'occupant que Laval revint au pouvoir le 18 avril 1942.

2. **L'échec de la Relève.** — Sauckel n'a pas tardé à donner ses ordres : « L'utilisation totale de tous les prisonniers de guerre ainsi que d'une quantité énorme de nouveaux travailleurs civils étrangers hommes et femmes est devenue une nécessité indispensable. » Des commissions sont chargées de désigner pour chaque entreprise le nombre de travailleurs qui peut être prélevé. Un représentant d'Abetz, le Dr Gosse, indique au nouveau ministre du Travail Hubert Lagardelle, que l'Allemagne exige 400 000 travailleurs.

---

(1) Les Rüstung-Betriebe travaillent à 100 % pour les Allemands. Les Sperr-Betriebe à 80 % au moins.

C'est alors que Laval prend les devants en écrivant à Ribbentrop le 12 mai : « Afin de protéger l'Europe d'une bolchevisation qui détruirait notre culture jusque dans ses bases, l'Allemagne s'est préparée à une lutte gigantesque. Le sang de sa jeunesse va couler... Je souhaite, en conséquence, que des Français aussi nombreux que possible prennent dans vos usines la place de ceux qui partent pour le front de l'Est... Je ferai de mon mieux dans ce sens et je vous prie de m'aider en vue de créer un terrain psychologique qui pourrait faciliter mon action. »

Le 18 mai, au Dr Michel, qui demande 350 000 travailleurs, Laval, reprenant une idée de Scapini, propose le retour d'un prisonnier en échange du départ d'un ouvrier. Mais les Allemands font la sourde oreille.

Le 30 mai, Laval, assisté de Lagardelle et de Bichelonne, réunit les représentants de tous les comités d'organisation de l'industrie. Il les engage à favoriser le départ de leurs ouvriers et ainsi à « s'associer à l'œuvre gigantesque qui s'accomplit en Europe ».

Au début de juin, Sauckel fait connaître ses conditions. Il lui faut 250 000 ouvriers, dont 150 000 spécialistes, avant la fin juillet, sinon il recrutera lui-même.

Hitler, de son côté, fait un geste. Il donne son accord à Sauckel pour la mise en congé de 50 000 prisonniers de guerre en échange de 150 000 spécialistes. Le 16 juin, Sauckel rencontre Laval. La discussion est serrée, mais le *Gauleiter* s'en tient aux propositions d'Hitler. Laval s'engage à lancer un appel aux Français.

Laval parle le 22 juin. Il réaffirme sa foi dans la collaboration et évoque le rôle de la France dans l'Europe future. Et c'est la phrase célèbre : « Je souhaite la victoire de l'Allemagne, parce que sans elle le bolchevisme, demain, s'installerait partout. »

Puis il ajoute : « Un nouvel espoir se lève pour nos prisonniers... C'est la Relève qui commence. » Et Laval insiste bien sur le fait qu'il a l'accord du Maréchal.

L'opinion française, quel que soit son désir de voir revenir les prisonniers, réagit défavorablement au discours de Laval. Celui-ci entreprend alors un intense effort de propagande par la presse, la radio, les affiches.

Il faut attendre le 11 août pour que Laval accueille à Compiègne, en présence des autorités allemandes, le premier train de prisonniers au titre de la Relève. Son discours est d'ailleurs désabusé : « L'heure des libérations massives est passée et l'Allemagne a besoin de main-d'œuvre... »

3. **Le travail obligatoire.** — Au 1er septembre 53 000 hommes seulement étaient partis sur les 250 000 demandés. Sauckel décida alors d'appliquer en France, comme dans les autres pays occupés, une ordonnance du 22 août qui prévoyait la réquisition de toute la main-d'œuvre masculine et féminine.

Laval reprit la négociation avec Sauckel qui menaçait de recruter immédiatement par tous les moyens, conscription obligatoire comprise. Il menaça de démissionner et obtint que l'ordonnance allemande ne fût pas appliquée à la France.

Mais il accepta qu'une loi française réglementât l'emploi de la main-d'œuvre. Le 4 septembre 1942, le Service national du Travail fut institué. Toute personne du sexe masculin âgée de plus de dix-huit ans et de moins de cinquante ans et toute personne du sexe féminin âgée de plus de vingt et un ans et de moins de trente-cinq ans pouvaient être astreintes à « effectuer tous les travaux que le gouvernement jugera utiles dans l'intérêt supérieur de la nation ». Les hommes devront « pouvoir justifier d'un emploi utile aux besoins du pays ». Aucune femme toutefois ne serait contrainte de travailler loin de son foyer.

Le principe de la Relève était maintenu. Le travail volontaire était encouragé, la femme continuant à toucher la moitié du salaire, en plus des sommes versées en Allemagne.

Mais le gouvernement de Vichy se compromettait gravement par l'obligation légale qui était faite désormais aux ouvriers français d'aller travailler en Allemagne.

La décision fut critiquée par quatre ministres, l'amiral Auphan, Le Roy-Ladurie, Bonnafous, Gibrat, qui déclarèrent : « Nous n'avons pas le droit de nous poloniser nous-mêmes. » Ils firent préciser que l'ordonnance allemande ne s'appliquerait en aucun cas à la France ni à la zone interdite, et que les réfractaires ne seraient pas punis avant que le Conseil des Ministres n'ait examiné leur cas.

Mais Laval enjoignit aux préfets et aux inspecteurs du travail de désigner dans les plus courts délais les ouvriers réclamés par les Allemands. Ceux-ci accrurent encore leur pression après l'occupation de la zone libre le 11 novembre.

Entre le 1er septembre et le 31 décembre, 186 000 travailleurs partirent, ce qui porta le total à 239 000. La première action Sauckel avait donc assez bien réussi.

Mais le Reich voulait davantage. Le 13 janvier 1943, Hitler proclamait la guerre totale. Le 14, Sauckel faisait savoir à Laval qu'il exigeait 250 000 travailleurs pour le 15 mars.

Laval tenta vainement d'obtenir un rapatriement supplémentaire de prisonniers, puis il céda.

Le 2 février, il ordonna le recensement de tous les Français nés entre le 1er janvier 1912 et le 31 décembre 1921. Le 16, il publia la loi créant le Service obligatoire du Travail pour les jeunes gens nés en 1920, 1921, 1922. La durée du STO (cela sonne mieux) est fixée à deux ans. Des sanctions sévères sont prévues contre les réfractaires. Un commissariat général au STO est créé et les tracasseries administratives et policières se multiplient.

Tout Français astreint au STO doit être titulaire d'une carte de travail qui est exigée notamment pour la délivrance des tickets d'alimentation.

Dans ces conditions, les départs sont massifs : du 1er janvier au 31 mars, 250 000 dont 157 000 spécialistes. La seconde action Sauckel est un succès et le *Gauleiter* constate : « Seule la France a rempli le programme à 100 %. »

4. La résistance au STO. — Dès le début de 1941, les résistants de Londres et ceux de l'intérieur avaient appelé les Français à refuser de partir travailler en Allemagne. Un tract clandestin définissait ainsi l'ordre nouveau : « Travail forcé, loin de la Famille, contre la Patrie. »

Après le retour de Laval et l'échec évident de la Relève, des manifestations eurent lieu à Montluçon, Lorient, Lyon. Laval, le 20 octobre 1942, se fâcha : « Le gouvernement est résolu à ne pas tolérer les résistances individuelles ou concertées de patrons ou d'ouvriers. »

La majorité des requis cependant, influencés par la propagande officielle ou par peur de représailles contre les familles, se résignèrent au départ. Il en fut ainsi des jeunes des Chantiers de Jeunesse que leur chef, le général de La Porte du Theil, exhorta à la soumission aux ordres du gouvernement.

Pourtant, à partir du printemps 1943, le nombre

des réfractaires s'accrut. Beaucoup réussirent à se cacher, notamment dans des fermes. Certains purent rester dans des entreprises ou des administrations comme les PTT, la SNCF, les hôpitaux.

Les inspecteurs du travail, par le biais de commissions d'appel, firent exempter des jeunes ou retardèrent leur départ. L'opinion publique — et l'évolution de l'Eglise catholique est significative — prit fait et cause pour les jeunes menacés de « déportation du travail ».

Sauckel, avec obstination, n'en continua pas moins d'imposer ses exigences. Le 9 avril, il réclama 220 000 hommes d'ici le 30 juin. Il n'en obtint qu'un peu plus de 100 000, bien que Laval ait incité les préfets et les forces de police à redoubler de zèle contre les réfractaires.

En août, il formula une nouvelle demande de 500 000 hommes, mais, à cette quatrième action Sauckel, Laval opposa un refus. Lors d'un entretien très dur avec le *Gauleiter*, il montra le risque d'un exode massif des jeunes vers les maquis qui s'étaient multipliés à l'été 1943.

Sauckel, déçu, écrivit à Hitler : « J'ai totalement perdu foi en l'honnête bonne volonté du président Laval. » Laval s'efforça cependant de trouver les 60 000 travailleurs qui devaient compléter le contingent promis en avril.

Et puis, ce fut la surprise : le 16 octobre, Sauckel informa Laval que le gouvernement allemand ne demanderait plus de travailleurs pour l'Allemagne en 1943.

Ce changement de politique était dû, moins au désir de ménager les Français, qu'à l'inquiétude des autorités allemandes devant l'énorme afflux dans le Reich de travailleurs étrangers qui posaient de sérieux problèmes d'hébergement, de nourriture, de surveillance.

Speer, ministre de l'Armement, se plaignait par ailleurs de la baisse de production des usines françaises travaillant pour l'Allemagne et qui avaient perdu une partie de leur personnel qualifié. Il fit classer un certain nombre d'entreprises *S. Betriebe* (*sperr betriebe* ou protégées) dont les ouvriers seraient exclus de tout transfert en Allemagne. Speer eut l'appui de Laval et de Bichelonne. Il se heurta par contre à Sauckel qui demanda l'arbitrage d'Hitler.

En fait, le STO ne rendait plus : 58 000 départs seulement de juillet à décembre. La Résistance s'amplifiait dans le pays.

Au début de 1944, Sauckel, brusquement, revint à la charge. Il exigea 885 000 hommes. Les mouvements collaborationnistes et la Milice opérèrent des rafles massives. Le jour même du débarquement, Sauckel réclama à Laval la mobilisation de la classe 1944 et son envoi en Allemagne. Les résultats furent maigres : 42 000 départs pour l'année 1944.

Il n'en reste pas moins que la participation de la main-d'œuvre française à l'effort de guerre allemand a été considérable. Plus de trois millions et demi de Français travaillaient directement pour le Reich.

En Allemagne, il y avait 40 000 volontaires, 650 000 hommes au titre du STO, 900 000 prisonniers (dont une partie transformés en travailleurs libres). En France, un million dans les *Rüstung Betriebe*, par exemple l'*Org Todt* qui édifiait le mur de l'Atlantique, un million dans les *S. Betriebe*.

L'exploitation de la main-d'œuvre par l'occupant a été, par-delà la charge économique qu'elle a imposée, un véritable drame humain.

Chapitre VI

LA RÉPRESSION POLICIÈRE

I. — L'armée et le maintien de l'ordre

1. **La police allemande.** — Avant le 1er juin 1942 les pouvoirs en matière de police appartenaient à l'autorité militaire : le Dr Best, de l'Administration militaire, le Dr Sowa, de la GFP *(Geheim Feldpolizei)*, le colonel Rudolf, de l'Abwehr. La consigne était de traiter la France avec fermeté mais correction.

Les services de police du Reich (RSHA), qui avaient envoyé un Kommando avec Knochen et Boemelburg dès juin 1940, s'étaient peu à peu étoffés sous la direction du général Thomas, avec les SS Lischka, Nosek, Hagen, Dannecker. Mais ils devaient agir avec discrétion en raison de la susceptibilité des autorités militaires.

Assez vite des difficultés étaient apparues entre l'armée et les SS. Le Dr Best, pourtant ancien membre de l'Ordre noir, n'acceptait pas d'être supplanté. Le général von Stülpnagel, au début de 1941, limita le rôle des SS à la surveillance des émigrés, des communistes, des juifs. Il fut entendu que les affaires de résistance seraient du ressort exclusif des militaires. Toutes les arrestations seraient opérées par la police militaire (GFP), à laquelle les SS devraient faire appel.

La rivalité entre l'armée et le Sipo-SD de Heydrich

s'accrut lorsque les SS encouragèrent l'activisme des collaborateurs parisiens. En octobre 1941, des synagogues furent dynamitées une nuit pas des membres du *Mouvement social révolutionnaire* de Deloncle. L'enquête démontra qu'ils avaient agi avec la complicité du SS Sommer.

Le MBF se fâcha et obtint le rappel de Thomas, mais Knochen resta à son poste. A mesure que la résistance armée se développait dans le pays, l'armée semblait moins capable d'y faire face que la police du Reich. Himmler et Heydrich s'efforçaient d'en convaincre Hitler.

Au cours de cette première période de l'occupation, le maintien de l'ordre fut assuré dans le cadre de procédures régulières.

La détention de police *(Polizeihaft)* frappait les personnes suspectes d'activité communiste, anarchiste, gaulliste. Elle était exécutée au camp de Compiègne.

La détention de sûreté *(Sicherungshaft)* correspondait à une mesure prise en Allemagne depuis 1938 *(Schutzhaft)*. Elle était imposée par simple décision administrative à la suite de faits qui mettaient en péril les intérêts allemands. Les détenus étaient enfermés au fort de Romainville.

Sur le plan judiciaire, les fautes légères étaient sanctionnées par le *Feldkommandant*. Les actes plus graves, par exemple les sabotages, étaient jugés par des tribunaux militaires comme la Cour martiale de Paris.

Les affaires judiciaires dépendaient du juge en chef du MBF, Boetticher, et du conseiller militaire Baelz. Certains procès cependant étaient déjà pris en charge par le Sipo-SD de Paris qui les faisait juger par le tribunal de Cologne.

A partir de l'automne 1941, au moment où se multipliaient les attentats contre l'occupant, les sanctions furent renforcées. Des communistes, des juifs, des résistants furent déportés en Allemagne.

En outre, sur ordre de Hitler, fut publié le décret *Nacht und Nebel* du 7 décembre 1941. Les actes commis contre les troupes d'occupation devraient être punis de mort.

Les coupables seraient transférés en Allemagne et exécutés. Aucune nouvelle ne devrait être donnée ni aux familles, ni à la Croix-Rouge.

Le maréchal Keitel précisa : « Il n'est possible d'obtenir une intimidation efficace et prolongée que par des peines de mort et par des mesures qui laissent les proches et la population dans l'incertitude du sort du coupable. » C'est à ce but que répond le transfert en Allemagne.

Ainsi, à la fin de 1941, l'occupant s'orientait vers une répression sévère pour laquelle il exigeait la collaboration des autorités françaises.

2. **La police française.** — Le gouvernement de Vichy avait, dans le cadre de la Révolution nationale, renforcé l'appareil répressif de l'Etat. Les pouvoirs des préfets avaient été accrus, la police renforcée et épurée, des services parallèles créés comme les groupes de protection puis, au printemps 1941, le Service d'Ordre légionnaire (SOL), chargé de lutter contre l'ennemi intérieur.

En zone occupée, la police restait sous les ordres de Vichy, mais les Allemands, qui la surveillaient, l'utilisaient pour de nombreuses tâches de contrôle ou de répression. Knochen constatait en février 1941 que la police française mettait un grand zèle dans la recherche des communistes.

En zone libre, la police agissait en vertu des mesures d'exception prises contre les communistes, dont le parti avait été dissous dès septembre 1939, les francs-maçons, les juifs, les hommes politiques de la IIIe République, rendus responsables de la défaite, et arrêtés avant d'être jugés (Reynaud, Daladier, Blum).

Dès août 1940, de Gaulle avait été condamné à mort par contumace et des résistants arrêtés. Mais le régime de Vichy était alors assez indulgent pour ces opposants, par ailleurs peu dangereux.

La répression s'accentua avec l'arrivée au pouvoir de l'équipe Darlan, soucieux de donner des gages aux Allemands. L'entrée en guerre de l'Allemagne contre l'URSS le 21 juin renforça la résistance communiste. Pucheu, ministre de l'Intérieur, donna des consignes de fermeté aux intendants de police nommés auprès des préfets.

Pétain, dans son discours du 12 août, constata : « De plusieurs régions de France, je sens se lever depuis quelques semaines un vent mauvais. L'inquiétude gagne les esprits, le doute s'empare des âmes. » Il tint à réaffirmer, avec la volonté de collaboration, l'autorité de l'Etat : « Ce trouble des esprits provient surtout de notre lenteur à reconstruire un ordre nouveau, ou plus exactement à l'imposer. »

Au début de 1942, les prisons françaises étaient pleines : 50 000 détenus contre 18 000 en 1940. 17 000 personnes étaient en outre internées dans des camps (Gurs, Noë, Agde). Il s'agissait surtout de réfugiés étrangers et de juifs. Des camps très durs avaient été installés aussi en Afrique du Nord.

Les Allemands pourtant se méfiaient de la police française. Les SS, qui supplantaient peu à peu les militaires en zone occupée, multipliaient les arrestations et l'on commençait à redouter les hommes de la « Gestapo ».

Ceux-ci étaient parvenus à s'infiltrer en zone libre. Ils s'étaient dissimulés dans des consulats allemands et des commissions d'armistice, puis, en février 1942, ils avaient installé à Vichy une délégation officielle dirigée par le capitaine Geissler.

3. **Les exécutions d'otages.** — Le maintien de l'ordre avait été assuré sans trop de difficultés au cours de la première année d'occupation. Il y avait eu certes des manifestations comme celle du 11 novembre 1940, une grève des mineurs du Nord très politisée en mai 1941, des sabotages de voies ferrées ou de câbles téléphoniques. Les arrestations avaient été nombreuses, mais il y avait eu assez peu d'exécutions.

A l'été 1941, la situation se tendit. Le 13 août, une bagarre organisée par des militants communistes parisiens se déclencha sur les grands boulevards. Le 14, le général Stülpnagel déclara que l'activité communiste serait punie de mort et deux exécutions eurent lieu le 19.

Le gouvernement français, inquiet pour la politique de collaboration, jugea nécessaire d'intervenir. Le délégué général de Brinon et le secrétaire du ministère de l'Intérieur Ingrand proposèrent à Beumelburg, officier de liaison entre le MBF et les Français, de traduire six communistes devant un tribunal spécial dont Pucheu envisageait la création. Les six hommes seraient exécutés publiquement sur la place de la Concorde aux fins d'intimidation.

Là-dessus le 21 août, à la station de métro Barbès, un officier allemand l'aspirant Moser était abattu par un jeune communiste, Pierre Georges, le futur colonel Fabien.

L'autorité militaire publia, le 22 août, une ordonnance qui précisa que tout Français arrêté serait considéré comme otage et que tout meurtre de soldat allemand entraînerait l'exécution d'un certain nombre d'otages. Knochen déclara à Beumelburg : « Il serait souhaitable dans cette affaire que ce soient les Français qui prennent eux-mêmes des sanctions. »

Précisément Ingrand proposa à Beumelburg la création immédiate d'une Cour spéciale par une loi qui serait antidatée au 14 août, afin d'être appliquée rétroactivement aux procédures en cours. Les Allemands se déclarèrent surpris et satisfaits par cet abandon, dans un but répressif, des principes traditionnels du droit français.

Le 23 août, au Conseil des ministres, Pucheu, négligeant les observations juridiques du garde des Sceaux Barthélemy, fit décider la création de *sections spéciales* auprès des tribunaux militaires en zone libre et des cours d'appel en zone occupée. Les magistrats en seraient choisis avec soin. Les six exécutions promises auraient lieu avant le 28, mais on renonçait à les faire sur la place publique.

Le directeur du cabinet de Pétain, du Moulin de La Barthète, téléphona au délégué général de Brinon : « Le maréchal Pétain a prié l'ambassadeur d'exprimer sa satisfaction absolue quant à la solution qui a été trouvée et il demande que soient exprimés au colonel Speidel sa gratitude et ses remerciements personnels pour sa magnanimité. »

Le procureur Gabolde ayant rédigé l'article donnant à la loi effet rétroactif, il restait à désigner les juges, ce qui fut fait le 25 août. Le 27, le tribunal, section spéciale de la cour d'appel, condamnait à mort trois communistes déjà condamnés à des peines légères d'emprisonnement. Ils étaient exécutés le 28 à l'aube.

Le 30 août, l'occupant placardait dans Paris des affiches bordées de noir annonçant l'exécution de

5 communistes le 27 et de 3 espions le 29. Parmi ceux-ci le lieutenant de vaisseau d'Estienne d'Orves, agent de renseignement de la France combattante.

A vrai dire, en cette fin d'août, le problème des otages a changé d'aspect. Il s'agit moins, comme cela avait été le cas par exemple en 1914, d'arrêter des notables pour prévenir des actions contre l'occupant, que d'exécuter des détenus soupçonnés d'appartenir au même milieu que les auteurs d'actes hostiles. Plus que des otages au sens classique, ce sont des victimes expiatoires dont le sort doit inspirer la terreur.

Or, en septembre les attentats se multiplient et, en réplique, des otages sont exécutés : 3 le 6, 10 le 16, 12 le 20.

Le général von Stülpnagel s'inquiète. Il est opposé aux exécutions massives qui révoltent la conscience des populations. Il souhaiterait arrêter l'escalade dans la répression, d'autant que le pays, dans son immense majorité, reste calme.

Mais il ne peut convaincre ses chefs. Le 16 septembre, Keitel a signé un décret qui fixe la ligne à suivre dans l'Europe occupée : « A l'occasion de chaque cas d'insurrection contre la puissance occupante allemande, sans considération pour les circonstances de détail, il devra être conclu à une initiative communiste... En représailles de la mort d'un soldat allemand doit être considérée comme adéquate la peine de mort contre cinquante à cent communistes. Le mode d'exécution doit encore renforcer l'effet d'intimidation. »

Obligé de procéder contre son gré à des exécutions massives, Stülpnagel tente de se justifier dans un *Appel à la population* le 19 : « Celui qui tire par-derrière sur des soldats allemands qui ne font ici que leur devoir et qui veillent au maintien d'une vie normale n'est pas un patriote, c'est un lâche assassin. »

Et, le 28 septembre, il signe l'ordre qui, publié le 30, est connu sous le nom de « Code des otages ». Il précise ce qu'il faut entendre par otages, « l'ensemble des Français détenus par ou pour un service allemand, pour quelque cause que ce soit, ou par un service français pour activité communiste et anarchiste ». Il définit comment choisir sur des listes préparées à l'avance, les anciens députés et fonctionnaires, les intellectuels, qui ont diffusé la propagande communiste, les personnes qui, par leur attitude, ont prouvé leur activité dangereuse. Sur les listes de 150 personnes pour chaque *Kommandantur* et de 300 à 400 pour Paris, on choisira de préférence, lors des exécutions, des habitants du pays où l'attentat a eu lieu. Les corps des fusillés seront dispersés dans des localités différentes pour éviter des pèlerinages.

Les tribunaux de Vichy, qui ne veulent pas être en reste, décident pour leur part l'exécution de 3 communistes le 29, dont l'ex-député Jean Catelas.

Ainsi tout est prévu pour des représailles sanglantes lorsque, à vingt-quatre heures d'intervalle, deux affaires graves éclatent. Le 20 octobre le lieutenant-colonel Hotz est abattu à Nantes et, le 21, le conseiller militaire Reimer subit le même sort à Bordeaux.

Immédiatement, après l'attentat de Nantes, Stülpnagel ordonne l'exécution de 50 otages et il en informe le gouvernement français. Celui-ci, engagé résolument dans la collaboration, va s'associer aux représailles allemandes.

Le ministre de l'Intérieur Pierre Pucheu est décidé à réprimer les « menées antinationales », il a mis sur pied trois organismes, le service de police anticommuniste (SPAC), la police aux questions juives (PQJ), le service des sociétés secrètes (SSS), et développé l'action des brigades spéciales des commissaires David et Rottée.

Dès le 13 octobre, il a envoyé un membre de son cabinet, Chassagne, inspecter le camp de Choisel près de Châteaubriant, où étaient détenus de nombreux militants communistes. Les plus repérés ont été placés dans la baraque 19, baptisée « îlot spécial ». Le jour même de l'attentat de Nantes, Pucheu a des contacts avec les autorités allemandes et il prend sur lui de suggérer aux Allemands les noms des otages de Châteaubriant.

Le sous-préfet de cette petite ville bretonne écrit en effet au commandant allemand : « Comme suite à notre entretien de ce jour, j'ai l'honneur de vous confirmer que M. le ministre de l'Intérieur a pris contact aujourd'hui avec le général von Stülpnagel, afin de lui désigner les internés communistes les plus dangereux parmi ceux qui sont actuellement concentrés à Châteaubriant. Vous voudrez bien trouver ci-dessous la liste des soixante individus fournie à ce jour. »

En fait, Pucheu a transmis au major Beumelburg officier de liaison auprès de la délégation française, deux listes de noms : la première de 40 communistes, la seconde de 21 détenus de l'îlot spécial qui étaient spécialement recommandés.

On a dit que Pucheu avait sacrifié des communistes pour sauver des anciens combattants, mais plusieurs de ceux-ci ont été fusillés. En tout cas le gouvernement français se trouvait gravement compromis dans cette sanglante affaire.

Le 21 octobre, près de Nantes, 16 otages étaient exécutés dont 5 anciens combattants. Le 22, 27 internés du camp de Châteaubriant tombaient à la carrière de la Sablière dont Charles Michels et le jeune Guy Moquet, âgé de dix-sept ans.

Le même jour, 5 autres otages étaient abattus à Paris. Sur 48 victimes il y avait 31 communistes. Le 24 octobre, pour sanctionner l'attentat de Bordeaux, 50 nouveaux otages étaient passés par les armes.

L'émotion fut considérable. Le maréchal Pétain, après avoir condamné les attentats, pensa à s'offrir en otage, mais il en fut dissuadé par ses ministres. Pour convaincre les Allemands de sa bonne foi, il promulgua la loi du 25 octobre faisant obligation aux Français de dénoncer les auteurs d'attentats.

Le général de Gaulle, au soir du 23, déclara : « Actuellement la consigne que je donne pour le territoire occupé, c'est de ne pas y tuer d'Allemands. » Le chef communiste Marcel Cachin, lui-même, sensible aux réactions de l'opinion, écrivit à Beumelburg pour désavouer les attentats.

Les autorités d'occupation acceptèrent le 24 de surseoir à toute nouvelle exécution, afin d'accroître les chances de trouver les vrais coupables. Et, bien que ceux-ci n'aient pas été découverts, on s'en tint là. Aucun avis de mort ne parut dans les journaux entre le 24 octobre et le 14 décembre.

Et pourtant les attentats continuèrent, par exemple contre des cafés ou des hôtels réservés aux Allemands. Le général Schaumburg se contenta d'infliger une amende d'un million à la Ville de Paris et d'avancer l'heure du couvre-feu.

Mais au début de décembre avec le décret *Nacht und Nebel*, Hitler décida une répression rigoureuse. Le 14, à la suite d'attentats répétés, le général von Stülpnagel annonça l'exécution de 100 juifs, communistes et anarchistes, « qui ont des rapports certains avec les auteurs d'attentats ».

En fait, il s'agissait de détenus arrêtés depuis longtemps souvent pour des faits mineurs. On fusilla 92 otages le 15, dont 75 au mont Valérien, et notamment les chefs communistes Péri et Saimpaix.

Le commandant allemand avait précisé : « Ces mesures ne frappent point le peuple de France, mais uniquement les individus qui, à la solde des ennemis de l'Allemagne, veulent précipiter la France dans le malheur. » Mais ces morts eurent un grand retentissement dans tout le pays.

Les attentats continuèrent, et aussi les exécutions dont Stülpnagel avait bien vu qu' « elles risquaient de pousser les foules qui se sont loyalement comportées jusqu'ici à s'opposer vigoureusement à la puissance occupante ».

Le 15 janvier, le général réclama son rappel et le 17 février son successeur lui fut désigné en la personne de son cousin Karl-Heinrich qui n'arriva à Paris qu'en avril. Mais un fait capital était intervenu le 9 mars : Hitler avait tranché en faveur des ss, investis désormais des tâches policières.

II. — La Gestapo en France

1. **L'organisation policière.** — La Gestapo n'était que le bureau IV du service de sécurité du Reich *Sipo-SD*. Mais, en raison du rôle joué en Allemagne et de sa sinistre réputation, le terme de Gestapo s'est imposé en France pour désigner l'ensemble des services de police assurés par les ss du *Reichsführer* Himmler.

Pour la France, le choix s'est porté sur le général Karl Oberg. Sous son aspect de boutiquier chauve et ventru, Oberg est un nazi convaincu depuis 1931 et il dirigeait la police en Pologne, à Radom, lorsque

Himmler l'a nommé à Paris avec le titre de *Höhere SS und Polizei Führer* (HSSPF). Ce fonctionnaire travailleur et tatillon sera surnommé « le boucher de Paris ».

Pourtant ses consignes sont de ne pas traiter les Français comme des Polonais et de ménager les militaires qui continuent à assurer la sécurité des troupes d'occupation.

Les activités de police relèvent d'Oberg, mais il doit tenir au courant le MBF de toutes les mesures importantes.

Au début de mai 1942, Heydrich, chef du service de sécurité du Reich (RSHA), vient en personne à Paris pour installer Oberg dans ses nouvelles fonctions.

Le 28 mai, Stülpnagel annonce à de Brinon que les affaires de police seront du ressort du HSSPF à dater du 1er juin 1942. La section de police de l'administration militaire est alors dissoute et bon nombre de ses membres passent au service des SS. La *Geheime Feld Polizei* disparaît presque complètement et la majeure partie de ses effectifs est également versée dans les services du Sipo-SD.

L'autorité militaire continue à s'occuper avec les *Feldkommandantur* des affaires relatives à la Résistance. Elle contrôle la *Feldgendarmerie* et la gestion des prisons et des camps d'internement en France.

L'*Abwehr* garde son rôle dans le contre-espionnage mais doit, pour les tâches d'exécution, recourir aux SS puisque la GFP n'existe plus. Dès lors s'accentue la rivalité qui oppose l'*Abwehr* et le *Sipo-SD*.

A l'été 1942, l'énorme organisation contrôlée par Oberg a reçu une structure, calquée sur celle du service central (RSHA), que dirige Kaltenbrunner, après la mort d'Heydrich.

D'abord la police d'ordre *(Ordnungspolizei)*, constituée d'unités militaires capables de s'opposer sur le terrain aux forces de la Résistance. Le chef est le colonel Schweirichen, puis le général Scherr.

Ensuite la police de sécurité *(Sichereitspolizei)*, jumelée avec le SD, aux ordres de Knochen, promu *Standartenführer* (colonel). Les effectifs du Sipo-SD atteignent environ 2 000 hommes répartis en 7 sections *(Abteilungen)* installées pour l'essentiel dans des immeubles de l'avenue Foch.

Abt. 1. — Problèmes de personnel, chef : Altenloh.

Abt. 2. — Liaison avec la police française, chef : Laube.

Abt. 3. — Le SD proprement dit : recherche de renseignements, surveillance des bureaux d'achat, recrutement de main-d'œuvre, contrôle des livres, journaux, spectacles. Le chef, le Dr Maulaz, personnalité parisienne, est un redoutable spécialiste.

Abt. 4. — La Gestapo proprement dite, avec de nombreuses sous-sections : A et B (communisme), C (déportation), D (questions juives avec Dannecker, puis Röthke), E (contre-espionnage et Résistance avec Kieffer), chef : Boemelburg puis, à la fin 1943, Stindt. La Gestapo ne compte qu'une centaine d'hommes mais s'appuie sur les unités d'action composées de Français, la *Selbstschütz*, dirigée par l'Alsacien Bickler.

Abt. 5. — La *Kripo*, ou police criminelle, dont le rôle est restreint : fichier des prisonniers, marché noir, chef : Odewald.

Abt. 6. — Renseignements sur les étrangers, les partis, les personnalités françaises. Le SD s'occupe de contre-espionnage et concurrence l'*Abwehr*, chef : Hagen, puis Bickler.

Abt. 7. — Affaires culturelles. Ce service rivalise avec l'*Einsatz Rosenberg* pour le pillage des musées, chef : Biederbick.

Dans toute la France s'organisent des *Kommandos*

extérieurs dont les chefs ont le titre de KDS *(Kommandeur der Sipo und der SD)*. Aux agences de Bordeaux, Dijon, Rouen s'ajoutent celles de Saint-Quentin, Nancy, Rennes, Angers, Poitiers, Orléans, Châlonssur-Marne. Après l'occupation de la zone libre, 6 autres antennes *(Ausstellen)* sont installées à Vichy, Lyon, Limoges, Marseille, Montpellier et Toulouse.

Dans chaque antenne locale existent les sections IV et VI, répression et renseignement, qui assurent la présence partout de la « Gestapo » et de ses agents.

Les modalités de la répression évoluent peu. Il y a encore quelques procès contre les résistants français, jugés soit par le tribunal militaire de Paris, soit par le *Feldkommandant*, en attendant les cours martiales instituées en janvier 1944 par le gouvernement de Vichy. La déportation sans jugement devient la règle par application des deux procédures *Schutzhaft* et *NN (Nacht und Nebel)*.

Pour l'internement les SS utilisent les prisons françaises (notamment Fresnes) et les camps de Compiègne et de Romainville. Les arrestations, dont le nombre augmente d'année en année, concernent soit des personnes dénoncées pour leur activité anti-allemande, soit des groupes saisis lors de rafles comme à Clermont-Ferrand, Grenoble, Marseille.

Les détenus sont soumis à la torture avec d'odieux raffinements afin de les faire parler. La Gestapo les fait alors déporter en Allemagne. Quelques-uns restent au fort de Romainville, administré par les SS à partir de juin 1943. Entassés dans les casemates, ils constituent une réserve d' « otages », où l'on puise lorsqu'une exécution massive est décidée.

En dépit de son organisation et de sa redoutable efficacité, la Gestapo, dont les effectifs ne dépassent guère 2 000 hommes, n'aurait pu mener à bien son action de répression sans l'important appui que lui fournirent des Français.

2. **La collaboration policière.** — A) *Le gouvernement de Vichy*. — Laval, revenu au pouvoir le 18 avril 1942, a pris pour lui le ministère de l'Intérieur, car il compte bien contrôler la police. Il a choisi comme secrétaire général à la police un jeune préfet dont il apprécie l'autorité, René Bousquet. Il tient par ailleurs à une relance de la collaboration.

Oberg, de son côté, souhaite une participation active de la police française à la lutte contre les « terroristes ».

Après des négociations serrées, Bousquet obtient, le 29 juillet, une simple déclaration qu'il présente comme un accord décisif. La police française dont l'indépendance est reconnue, n'aura plus à désigner d'otages ni à livrer aux Allemands les détenus qui n'ont commis aucun acte hostile contre les troupes d'occupation. Les Français, coupables de délits, seront jugés par les tribunaux français.

En outre, la police française sera mieux armée et des groupes mobiles de réserve (GMR) accroîtront son efficacité. En contrepartie, elle apportera son appui aux services du HSSPF Oberg non seulement en communiquant tous renseignements utiles, mais aussi en coopérant à la lutte contre les ennemis du Reich.

Bousquet considérait cet accord comme un succès. En fait, il associait plus étroitement les Français à la répression allemande.

Les occupants n'allaient d'ailleurs guère tenir compte de l'accord. A la suite d'un attentat au stade Jean-Bouin contre des soldats allemands le 5 août, 88 otages furent fusillés, dont le plus grand nombre furent livrés par les Français, contrairement aux stipulations de l'accord.

En septembre, des bombes ayant explosé à la sortie du cinéma *Rex* réservé aux Allemands, Oberg décida l'exécution de 116 otages. Comme on n'en trouvait que 46 à Paris, l'appoint fut fourni par les résistants arrêtés à Bordeaux par les Français. Les attentats continuèrent ainsi que les exécutions d'otages que Vichy s'était flatté d'empêcher.

En fait, dès juin 1942, avait été créée dans chaque brigade régionale de la police judiciaire, une section des affaires politiques (SAP) travaillant en étroite collaboration avec les SS. Les brigades spéciales arrêtèrent et livrèrent aux Allemands à l'été 1942 les manifestants des usines Citroën, les cheminots résistants d'Ivry, les membres du réseau Valmy...

Certains policiers français se signalèrent dans leur zèle au service des Allemands, Poinsot à Bordeaux, Nazaret à Rouen, Marty à Montpellier, et aussi David et Rottée.

Les Allemands intervinrent même en zone libre. Dès le début de 1942, l'*Abwehr* se plaignit de l'activité des agents anglais qui, à l'aide de postes émetteurs, assuraient les liaisons avec Londres. Laval donna son accord pour une action à laquelle participeraient l'*Abwehr* (Dernbach), les SS (Boemelburg), ainsi qu'un spécialiste français, le capitaine Desloges. Il fut décidé d'établir pour tous des papiers d'identité français.

L'opération *Donar* se déroula donc en zone libre où elle permit le repérage et la saisie de nombreux postes émetteurs et de leurs « pianistes ». Des réseaux de résistance furent démantelés comme à Lyon et à Toulouse.

Quelques semaines plus tard, le 11 novembre 1942, les troupes allemandes entraient en zone Sud. La fiction d'un Etat français fut maintenue car elle arrangeait bien l'occupant.

Tandis que l'autorité militaire était assurée par le général Niehoff, installé à Lyon, avec un représentant à Vichy, le général von Neubronn, les ss créaient 6 antennes régionales dont les chefs, les KDS dépendaient d'Oberg.

Les 6 *Aussenstellen* étaient celles de Vichy (Geissler), Limoges (Jessen), Lyon (Knab), Montpellier (Tanzmann), Toulouse (Retzek), Marseille (Rolf Mühler).

Une des premières actions des ss fut, à la demande de Hitler, la destruction du Vieux-Port de Marseille qualifié de « repaire de bandits ». La police française prêta son concours pour contrôler 40 000 personnes dont 2 000 furent déportées (24 janvier 1943).

A la fin de 1942, Oberg se félicita officiellement des bons rapports avec la police française. Hitler confia au général Jodl : « Dans ce pays, la police est détestée plus que tout au monde et il est naturel qu'elle recherche un appui auprès d'une autorité plus solide que son propre Etat. Cette autorité c'est nous. »

Les accords Bousquet-Oberg furent donc renouvelés sans difficulté en avril 1943 et étendus à la zone libre. Mais il était clair que les Allemands, sous prétexte que les actes de résistance étaient dirigés contre leur armée, se réservaient le droit d'intervenir plus qu'auparavant dans les affaires de la police française. Bousquet fit remarquer que la police risquait de « perdre peu à peu la notion qu'elle travaille pour son pays, pour croire simplement qu'elle subit la servitude de la défaite ».

Il est vrai qu'en 1943 la police française semble montrer moins de zèle. Si elle arrête 9 000 personnes, les Allemands en saisissent 35 000. Le ss Laube, chargé de la surveillance des policiers, multiplie les rapports et il met en cause Bousquet.

C'est Oberg qui exige de Pétain le 31 décembre la

nomination de Joseph Darnand, créateur et chef de la Milice, au poste de secrétaire général au Maintien de l'Ordre. La France, dès lors, s'engage plus avant dans la répression.

B) *La Milice.* — Darnand, glorieux officier, homme d'action, a fondé au printemps 1941 le SOL, service d'ordre légionnaire, qui se veut la troupe d'élite de l'ordre nouveau. Avec l'appui de Darlan et de Pucheu, le SOL est détaché de la Légion des Combattants jugée trop passive en janvier 1942.

Darnand, nommé inspecteur général du SOL, organise son mouvement sur le modèle de l'armée avec 4 bureaux confiés à ses fidèles, Bassompierre, Gombert, Bance, Lefèvre, et des groupes de combat qui formeront en juin la *Franc-Garde*.

Le SOL constitue en zone Sud une armée sans armes, qui multiplie les défilés, les actions de propagande, les brimades contre « les ennemis de l'intérieur », les gaullistes, les francs-maçons, les juifs, les communistes.

Avec le retour de Laval, le gouvernement de Vichy songe à créer une légion tricolore destinée à remplacer la LVF, légion des volontaires français contre le bolchevisme, dont l'audience est restée faible. Darnand est chargé d'aller en Allemagne inspecter la LVF. Il en revient impressionné par la force allemande et décidé à faire du SOL durci, épuré, le fer de lance de la collaboration.

La Milice française est fondée à Vichy le 30 janvier 1943 avec l'appui de Pétain et de Laval. Darnand définit son rôle, dans la ligne du SOL : vigilance, propagande, sécurité. Il ajoute : « Notre volonté de voir instaurer en France un régime autoritaire national et socialiste permettra à la France de s'intégrer dans l'Europe de demain. »

La Milice rassemble des hommes et des femmes en uniforme. Elle a comme insigne le gamma, signe du bélier, symbole de la force et du renouveau. Malgré une propagande active elle n'a sans doute pas dépassé 15 000 adhérents.

En outre, la Milice est divisée. Les uns la considèrent comme une formation militaire, le noyau d'une nouvelle armée même si elle ne dispose pas encore d'armes. C'est le cas des officiers maurrassiens à l'esprit cavalier : Bernonville, Vaugelas, Bourmont.

D'autres la voient comme un parti structuré appuyé sur une idéologie totalitaire. Ce sont des propagandistes comme Gallet, Bout de L'An, Tissot, Charbonneau, qui dirige le journal *Combats*, ou Philippe Henriot, qui lance à la radio des appels éloquents.

D'autres enfin, et ils devaient imposer leurs vues, sont des policiers comme Gombert, qui dirige le service de sécurité, Degans, Filliol, Lécussan.

Le fer de lance de la Milice est à partir de juin la *Franc-Garde* qui comptera 2 000 permanents et 3 000 bénévoles. L'école des cadres d'Uriage, dont les jeunes sont passés au maquis, est utilisée pour la formation des miliciens sous la direction de La Noüe du Vair puis de Vaugelas.

Lorsque les premiers attentats ont lieu contre des miliciens en avril, Darnand tente d'obtenir l'armement de ses hommes. Il échoue tant auprès d'Oberg que de Laval. Il songe même à démissionner mais Pétain le retient.

Il accepte alors une invitation du chef de la *Waffen SS* Gottlob Berger, qui lui offre de faire entrer une partie de ses miliciens dans cette armée européenne d'élite qu'il constitue. Après un tel engagement, l'armement des *Francs-Gardes* ira de soi.

Darnand accepte le grade de lieutenant dans la

Waffen SS et il prête serment de fidélité à Hitler en août 1943. Il est dès lors l'homme des Allemands et il dénonce les hésitations du gouvernement de Vichy.

A l'automne, la Milice fait parler d'elle. Elle se livre à des représailles sanglantes à Annecy et participe à des assassinats politiques comme celui de Maurice Sarraut à Toulouse puis de Victor Basch à Lyon.

Le 30 décembre, Darnand remplace Bousquet et, à la demande d'Oberg, Laval prend un décret le 10 janvier qui charge Darnand du contrôle de toutes les forces de police, y compris la Préfecture de Police et la gendarmerie. Les préfets régionaux lui sont étroitement subordonnés.

En même temps les Allemands autorisent l'extension de la Milice en zone Nord où Darlan délègue Gaucher et Knipping.

Le 20 janvier, en complément de l'action policière, une loi instituant les cours martiales est signée par Laval et Gabolde. Il s'agit d'une procédure exceptionnelle, sans avocat et sans recours, en cas de « flagrant délit d'activité terroriste », notion interprétée de façon très extensive. Plus de 200 condamnations à mort sont ainsi prononcées dans un total arbitraire.

La Milice, pour atteindre environ 4 000 hommes, est recrutée sans grand souci de qualité. Aux passionnés de la première heure se mêlent les dévoyés et les truands. Au printemps 1944, les miliciens pratiquent le pillage, la torture, l'assassinat. C'est le cas de Di Costanzo en Bretagne, de Lécussan à Lyon, de Filliol à Clermont, de Tommasi à Vichy.

La *Franc-Garde* intervient contre le maquis des Glières. Les Allemands se réservent de donner l'assaut le 26 mars, tandis que les miliciens constituent la force d'appoint pour la chasse aux maquisards dont un grand nombre sont abattus.

Après le débarquement, Darnand, nommé secrétaire d'Etat à l'Intérieur, mobilise la Milice, environ 5 000 hommes. Les chefs, Vaugelas, d'Agostini, Bernonville, Bourmont, luttent contre les résistants dans le Limousin, en Bourgogne, dans le Vercors.

A l'été 1944, la Milice multiplie les arrestations, les déportations, les exécutions. Le 20 juin, Jean Zay, ancien ministre du Front populaire, est enlevé de la prison de Riom et assassiné par des miliciens. Le 7 juillet, c'est le même sort pour Georges Mandel, abattu avec l'accord de Knipping qui écrit à Bout de L'An : « Ne pas agir dans cette affaire aurait eu pour conséquence de nous faire perdre entièrement la confiance des ss. »

Le 6 août, Pétain se décide enfin à condamner « l'action néfaste de la Milice ». Il lui reproche, mais un peu tard, ses affrontements avec la police officielle, ses liens étroits avec la Gestapo, ses procédés sanglants.

C) *Les Français de la Gestapo.* — A la fin de 1943, au moment où il se sentait moins sûr de la police française, Oberg envisagea avec les chefs des mouvements de collaboration, Doriot, Déat, Bucard, la création de groupes d'autoprotection *(Selbstschütz)*. Avec les *Francs-Gardes* de la Milice ils allaient être engagés dans la lutte antiterroriste.

Le recrutement fut confié au commandant ss Best. Un camp d'instruction fut installé à Taverny. Les groupes d'intervention de la *Selbstschütz*, mis à la disposition des ᴋds de Rennes, Lyon, Toulouse, participèrent à la répression en 1944.

Mais bien avant des Français s'étaient faits les auxiliaires de la Gestapo. Les services de police allemands, qui ne disposaient que d'effectifs très réduits, n'auraient d'ailleurs pu mener leur tâche à bien sans les concours qu'ils trouvèrent sur place.

L'*Abwehr* avait engagé, avant même 1940, des agents français pour le renseignement et le contre-espionnage. Ils passèrent ensuite au service du SD et, notamment, du bureau IV dirigé par Boemelburg.

Ils camouflaient leur redoutable activité policière derrière la façade anodine de bureaux d'achats. Ils étaient à la fois trafiquants et tortionnaires.

Ainsi Christian Masuy, un Belge lié à l'*Abwehr* et au bureau Otto, avait constitué une équipe, avenue Henri-Martin. Avec ses complices, Fallot, Fresnoy, Masuy réussit à démanteler plusieurs réseaux de résistance, dont celui du colonel Rémy, *la Confrérie Notre-Dame*. Les interrogatoires étaient ponctués de coups et les aveux arrachés en plongeant les victimes dans une baignoire d'eau glacée.

L'Allemand Berger recruta une trentaine de truands, dont un certain « King Kong » et installa rue de la Pompe une salle de torture. En quelques mois il brisa plusieurs réseaux, fit 110 morts et 400 déportés. La bande Berger abattit en août 1944, 34 jeunes FFI de Chelles près de la cascade du bois de Boulogne.

Martin, dit Rudy de Mérode, tout en se livrant au trafic d'or, mit ses bureaux de Neuilly au service de la Gestapo et fit arrêter plus de 500 personnes.

Mais le plus connu fut Henri Chamberlin, dit Lafont, enfant trouvé, petit malfrat entré en 1940 au service de l'*Abwehr*, et qui forma la Gestapo de la rue Lauriston.

Ayant fait libérer de Fresnes un certain nombre de « durs », comme Abel Danos dit « le Mammouth », il prit pour second l'inspecteur Bonny, qui s'était illustré au temps de l'affaire Stavisky, mais qui avait été révoqué en 1937 et qui, avide de revanche, s'était lancé dans la collaboration.

En 1943, Lafont mit à son actif l'élimination du réseau *Défense de la France*. En 1944 la bande à Lafont participa aux côtés des ss à la lutte contre les maquis.

« M. Henri », à l'aise dans le trafic d'influence et les jeux d'argent, aimait la vie large et facile. Il recevait avec faste des gens en vue, comme George Prade conseiller municipal affairiste, le préfet de police Bussière, le journaliste Jean Luchaire, l'escroc de haut vol Lionel de Witt, l'actrice Yvette Lebon. Il appréciait les jolies femmes que l'on appela « les comtesses de la Gestapo » Magda Fontanges ou la marquise d'Abrantès.

Truand et gentilhomme, tortionnaire brutal et homme du monde raffiné, Lafont, qui avait choisi le camp allemand par goût de l'argent, de l'aventure, du plaisir, représentait bien l'écume de la collaboration.

En province, la Gestapo s'était installée partout. A Marseille, le ss Dünker occupait une villa de la rue Paradis, *la Carlingue*, où il utilisait les services du PPF Sabiani et des gangsters Carbone et Spirito.

A Lyon, Klaus Barbie disposait de 200 agents, dont Multon dit Lunel qui fit prendre le général Delestraint, chef de l'armée secrète. Barbie était au rendez-vous de Caluire qui aboutit à la capture de Jean Moulin, torturé à mort au fort Monluc.

A Grenoble, le PPF Jean Barbier et André dit « gueule tordue » torturent et massacrent plus de 100 personnes. A Saint-Etienne, au *Nouvel Hôtel*, la Gestapo a plus de 300 hommes de main dont l'Alsacien Freddy. A Toulouse, le KDS Suhr et son adjoint Bolle disposent d'une *Stosstrup* d'auxiliaires français et de nombreux agents comme Pujol et Dedieu.

A Bordeaux, le SD est dirigé par l'habile ss Dhose qui utilise au mieux un résistant retourné Grand-Clément. Mis au courant des parachutages anglais, il saisit les armes et sème le trouble parmi les résistants en ménageant ceux qu'il sait anticommunistes et hostiles aux FTP.

Les Allemands obtiennent en effet par la ruse ou la menace le concours de résistants qui, une fois arrêtés, acceptent de les servir. Ainsi Devillers, passé au service de l'*Abwehr*, qui dénonce plusieurs membres du réseau *Combat* en 1942. De même Jean-Paul Lien qui parvient à pénétrer le réseau *Alliance*. Il fait arrêter Bertie Albrecht qui sera décapitée à la hache à Fresnes. Il reçoit la croix de fer et une prime de 3 millions.

Mathilde Carré, « la Chatte », tombe dans les griffes d'Hugo Bleicher, qui grâce à elle intoxique les services secrets anglais du colonel Buckmaster.

Parmi les auxiliaires de la Gestapo, il y avait des aventuriers comme les Bretons de Célestin Lainé embrigadés dans la *Milice Perrot*, des truands comme les Nord-Africains d'Alex Villaplana, un adjoint de Lafont, qui sévit en Périgord, des dévoyés du type « Lacombe Lucien », comme Paoli à Bourges ou Vasseur à Angers.

3. **Le bilan de la répression.** — On ne connaît pas le nombre exact des arrestations opérées tant par la police française que par les services allemands. Pour 1943, un rapport d'Abetz indique 35 000 arrestations par les Allemands et 9 000 par les Français.

En 1944, le nombre a été beaucoup plus important avec l'activité de la Milice et de la Gestapo. De nombreuses notabilités ont été incarcérées et notamment 15 préfets.

Parallèlement s'accélère le rythme des déportations dont le nombre se situerait autour de 250 000.

Le nombre des otages fusillés a donné lieu à discussion. On a parlé au procès de Nuremberg de 29 660, mais on a compris dans ce chiffre des résistants exécutés qui n'étaient pas, à proprement parler, des otages. Il est certain que l'annonce de l'exécution d'otages n'avait plus d'effet dissuasif. Le 1er mars 1944, Oberg constatait : « La situation présente ne peut être améliorée par des punitions et des mesures collectives. Le HSSPF se refuse à la prise et à l'exécution d'otages, estimant ces mesures inefficaces. »

Au même moment un ordre du commandant en chef à l'Ouest, dit *Ordre Sperrle*, recommandait, en cas d'attaque contre une troupe allemande, des mesures de représailles très rigoureuses contre les civils.

Dès mars 1944, des villages avaient été incendiés, Rouffignac en Dordogne, Verjon dans l'Ain, des exécutions sommaires avaient eu lieu dans la région de Limoges. Le 2 avril, une unité SS massacra 117 habitants à Ascq dans le Nord.

Le 12 mai, les SS encerclaient Figeac et arrêtaient tous les hommes, soit 800, qui étaient ensuite déportés. Le 8 juin, les FTP ayant investi Tulle et tué des soldats allemands, les SS reprennent la ville et pendent 99 habitants de la ville aux balcons de la rue.

Mais l'exemple le plus tristement célèbre est celui d'Oradour-sur-Glane (Haute-Vienne) le 10 juin. Là les SS de la division *das Reich*, exaspérés par la résistance des maquis et désirant terroriser le pays, fusillèrent tous les hommes, tandis que les femmes et les enfants étaient brûlés vifs dans l'église, au total plus de 600 victimes.

Enfin, au fur et à mesure que la défaite se précisait, les SS massacrèrent dans les prisons françaises des centaines de détenus, par exemple au fort Monluc à Lyon où fut assassiné l'historien Marc Bloch.

L'occupation laissait derrière elle un souvenir de deuil et de sang.

Chapitre VII

L'HORREUR NAZIE

I. — L'extermination des juifs

1. **La montée de l'antisémitisme.** — Le racisme est à la base de l'idéologie nazie et Hitler a, dès 1919, fondé son action politique sur l'antisémitisme. Les juifs ont été chassés d'Allemagne à partir de 1933 ou réduits à une condition inférieure. Ils ont été parfois massacrés comme lors de la « nuit de cristal », ou au moment de la guerre en 1939.

Pourtant en 1940 il n'était question que d'expulsion. Un projet visait même à faire de Madagascar une colonie juive.

C'est l'attaque allemande contre l'URSS qui amena Hitler à l'idée d'une extermination totale. Des formations spéciales, les *Einsatzgruppen*, qui accompagnaient la *Wehrmacht* dans sa poussée vers l'est, procédèrent à des massacres systématiques. A l'automne 1941 des installations permanentes dans les territoires occupés permettaient des exécutions massives par les gaz.

En France la question juive se pose en termes différents. Le nombre des juifs a presque triplé entre les deux guerres. Il y a environ 300 000 juifs. La moitié sont parfaitement intégrés à la vie française, même s'ils suscitent parfois des réactions hostiles. Les autres, juifs étrangers, immigrés récents, plus pauvres, plus religieux, sont souvent traités en indésirables.

L'antisémitisme est en France traditionnel dans certains milieux. Hérité du ressentiment catholique, des rancœurs populaires, du nationalisme agressif, il s'est fortifié, sous l'effet de la crise. Les ligues, et notamment l'*Action française*, en ont fait un de leurs thèmes favoris.

L'arrivée massive des juifs d'Europe centrale a suscité des réactions de rejet. Dès 1938 des mesures ont été prises contre les étrangers indésirables, allant jusqu'à l'internement dans des camps. La rancune contre Léon Blum et le Front populaire, puis l'idée que les « judéo-bolcheviks » ont joué un rôle dans la défaite expliquent que les juifs aient été les boucs émissaires de la Révolution nationale.

2. **Les premières mesures.** — A) *En zone occupée*, la persécution commence dès l'arrivée des troupes allemandes.

Les juifs d'Alsace-Lorraine sont expulsés, les juifs réfugiés en zone libre n'ont pas le droit de regagner leur domicile, il est envisagé de chasser tous les juifs de la zone occupée. L'autorité militaire (Dr Blanke), l'*Einsatzstab Rosenberg*, l'ambassade (Zeitschel) mettent la main sur les biens juifs.

Un statut des juifs est promulgué (27 septembre) et le recensement commence. Les juifs sont exclus des emplois publics et de nombreuses professions. Les entreprises juives reçoivent un tuteur aryen (18 octobre).

Dès l'été 1940, le bureau IV B4 de la Gestapo, dirigé par Eichmann, a nommé à Paris, auprès de Knochen, le ss Dannecker comme chef du *Juden-*

referat. Il s'installe à la Préfecture de Police dont il utilise les fichiers.

La chasse aux juifs se précise en 1941. Plus de 3 700 juifs étrangers sont arrêtés en mai. La première grande rafle a lieu en août dans le XIe arrondissement. Une autre a lieu en décembre. A la suite des attentats communistes, des juifs sont exécutés comme otages et une amende d'un milliard imposée à la communauté juive. 743 notables juifs sont arrêtés.

Les juifs sont enfermés dans les camps de Pithiviers, Beaune-la-Rolande, Drancy et Compiègne.

B) *En zone libre*, les mesures contre les juifs ne résultent nullement d'une quelconque pression allemande et elles commencent très tôt : 22 juillet, révision des naturalisations postérieures à 1927 ; 27 août, abrogation du décret sanctionnant les injures racistes.

Le statut des juifs (3 octobre) voulu par le maréchal Pétain, préparé par le ministre de la Justice, le maurrassien Alibert, est plus sévère que le statut allemand.

Le 4 octobre, nouvelle étape dans la persécution, le gouvernement adopte une loi permettant d'interner dans des camps les étrangers de race juive. Ils sont ainsi en 1941 près de 40 000, entassés dans les camps de Rivesaltes, Gurs, Le Vernet, auxquels s'ajoutent les 15 000 détenus en Afrique du Nord dans des conditions très rigoureuses.

Au début de 1941, le gouvernement de Vichy, qui recherche les faveurs de l'Allemagne, est sensible aux pressions d'Abetz et de Dannecker. Un commissariat général aux questions juives est créé (29 mars) et confié à un nationaliste soucieux de limiter l'influence des juifs dans le pays, Xavier Vallat.

Le 2 juin, un statut plus rigoureux est adopté et le recensement des juifs ordonné dans les deux zones.

Au cours de l'été un *numerus clausus* est fixé pour le barreau, la médecine (2 %) et l'université (3 %), l'aryanisation des entreprises juives est généralisée, une police aux questions juives créée par Pucheu et destinée à agir avec les ss.

Le 29 novembre, une loi conforme aux souhaits de l'occupant fait d'une organisation, *l'Union générale des Israélites de France* un interlocuteur utile pour les persécuteurs.

3. **La solution finale.** — A partir de 1942 la persécution s'oriente vers le génocide. Le 20 janvier à la conférence de Wannsee, les nazis ont décidé « la solution finale » du problème juif par l'extermination. Sous la direction d'Heydrich et d'Eichmann les ss se chargent de l'exécution.

Dannecker se préoccupe des moyens de transport et le 27 mars a lieu le premier envoi de déportés vers Auschwitz. Il s'agit de 1 112 juifs, étrangers de Drancy et français de Compiègne.

Les Allemands, qui envisagent une déportation massive, ont besoin du concours des Français. Heydrich, en installant Oberg, négocie l'appui de la police française. Laval, qui n'est pas personnellement antisémite, est prêt à bien des concessions pour que la France trouve sa place dans l'Europe nouvelle.

Le 6 mai, Xavier Vallat, soupçonné de tiédeur par Dannecker, est remplacé au commissariat par un antisémite fanatique, Darquier de Pellepoix.

Le 1er juin, l'autorité militaire impose en zone nord le port de l'étoile jaune dès l'âge de six ans. Pétain refuse d'étendre la mesure à la zone libre, mais il reste très hostile aux juifs étrangers.

Lors d'une rencontre avec Heydrich, Bousquet, mandaté par son gouvernement, a suggéré que l'on déporte d'abord les juifs étrangers internés en zone libre. Les Allemands objectèrent le manque de wagons disponibles. Il n'est donc pas surprenant que le gouvernement de Vichy ait, à l'été 1942, apporté un concours décisif à la déportation.

En juin, le RSHA, chargé par Hitler de la solution finale, a fixé à 100 000 personnes le nombre des Français à déporter et ceci en fonction des possibilités de transport et des capacités d'absorption des crématoires d'Auschwitz.

Les négociations menées par Oberg avec Bousquet et Laval aboutissent assez vite. Le gouvernement français donne son accord « pour que tous les juifs apatrides de zone occupée et de zone libre soient déportés pour commencer ».

Darquier de Pellepoix, nommé président de la Commission technique française pour la Déportation des Juifs, prépare avec le SD l'arrestation de 22 000 juifs en zone nord et de 10 000 en zone sud.

Laval espérait sans doute en livrant les juifs étrangers préserver les juifs français, mais les Allemands avaient bien précisé qu'ils voulaient éliminer tous les juifs sans exception.

Bousquet et son représentant à Paris, Jean Legay, furent chargés d'organiser l'opération *Vent printanier*. Les 16 et 17 juillet, 9 000 policiers, gendarmes et gardes mobiles français, utilisant le fichier de la préfecture de police, parvinrent à arrêter 13 000 personnes.

Bien qu'un grand nombre de juifs, prévenus à temps, aient pu échapper à la rafle, les victimes du coup de filet, dont 4 000 enfants, furent rassemblées au Vélodrome d'Hiver dans des conditions effroyables, puis dirigées vers des camps.

Laval avait pris la lourde responsabilité de suggérer aux Allemands de déporter également les enfants, sans doute pour faire nombre et éviter les séparations. C'est ce que Dannecker traduisit dans une lettre à Eichmann par la phrase : « La question des enfants juifs restant en zone occupée ne l'intéresse pas. »

Les Allemands donnèrent leur accord le 20 juillet. Les enfants furent cependant séparés de leurs parents après des scènes déchirantes. Ils furent transportés à Drancy d'où ils partirent peu après pour « Pitchipoi », le mystérieux pays où, à ce qu'on leur disait, ils retrouveraient leurs parents.

En fait, de 1942 à 1944, 11 000 enfants devaient être déportés. Pour autant qu'on le sache, aucun n'a survécu.

En zone libre, les arrestations des 26-28 août portèrent sur 10 522 juifs. Laval, certes, marchanda avec Oberg et avec le successeur de Dannecker, Röthke. Il refusa de livrer les juifs « comme dans un Prisunic » et d'annuler les naturalisations accordées depuis 1927. Il justifia cependant « l'épuration d'éléments indésirables sans nationalité ».

A partir du 15 septembre, les convois de déportés quittèrent chaque jour Drancy pour les camps de la mort. Il y eut 42 500 déportés en 1942.

La situation des juifs s'était régulièrement aggravée en zone occupée à la suite des mesures prises par le MBF. Il leur était interdit de fréquenter les lieux publics, de posséder téléphone ou radio, de faire leurs achats dans les magasins sauf en fin d'après-midi, alors qu'il n'y avait souvent plus rien à vendre.

Seuls les juifs qui vivaient dans la petite zone d'occupation italienne bénéficiaient de conditions acceptables au grand dépit des ss.

Après l'invasion de la zone sud, la pression allemande se fit plus forte. Hagen poussa Bousquet à appliquer strictement une loi du 9 novembre qui interdisait aux juifs étrangers de se déplacer sans autorisation. Une loi du 11 décembre prescrivit que la mention « juif » fût apposée sur les cartes d'identité et d'alimentation.

La persécution des juifs commençait à provoquer en France une vive émotion. Mais le gouvernement poursuivait sa collaboration policière qu'Oberg qualifiait d' « appréciable » et dont Knochen disait au début de 1943 : « Nous n'avons rencontré aucune difficulté auprès du gouvernement français pour obtenir l'application de la législation allemande concernant les juifs. »

4. **La chasse aux survivants.** — Le 10 décembre 1942, Hitler avait ordonné la déportation de tous les juifs et autres ennemis de l'Allemagne. Les responsables allemands, Röthke, Hagen, Lischka, Knochen, exigèrent de Vichy l'évacuation des juifs des départements côtiers, l'internement des juifs étrangers, le regroupement des juifs français.

A partir de février 1943, Eichmann obtint des moyens de transport suffisants pour reprendre les déportations. La police française organisa des rafles massives de juifs étrangers. Röthke cependant n'était pas satisfait, car il calculait que 49 000 juifs seulement avaient été envoyés vers l'Est, et il voulait accélérer le mouvement.

La police allemande procéda directement à des opérations en zone sud, à Lyon, à Marseille lors de la destruction du Vieux-Port, plus tard à Nîmes, Carpentras, Aix, Clermont-Ferrand. Des juifs pourchassés tentèrent de passer en Espagne ou en Suisse ou trouvèrent refuge, notamment dans des institutions religieuses.

Le gouvernement français protesta contre les arrestations de juifs français, parce qu'il y voyait une atteinte à sa souveraineté. Cependant, en renouvelant les accords Bousquet-Oberg en avril 1943, il continua à fournir le concours de la police française.

En mai, le ss Brunner prit la direction du camp de Drancy, qui avait été assurée jusque-là par les Français. Le nombre des convois s'éleva brusquement : 104 pour 1942, 257 pour 1943, 326 du 1er janvier au 25 août 1944.

Pendant ce temps, le Commissariat aux questions juives, dirigé par Darquier de Pellepoix, se consacrait à l'aryanisation des biens juifs, source de profit pour le SCAP *(Service de Contrôle des Administrateurs provisoires)*. Il avait sa police, la SEC *(Section d'Enquête et de Contrôle)* animée par Antignac. Il orchestrait la propagande antisémite des Montandon, Laville, Vacher de Lapouge. Les ss soutenaient Darquier tout en le méprisant.

A l'été 1943, les Allemands, soucieux d'augmenter le nombre des déportés, proposèrent l'annulation des nationalisations accordées depuis 1927, mais finalement Laval refusa. Röthke en conclut le 14 août : « Le gouvernement français ne veut plus marcher avec nous dans la question juive. »

Au même moment Oberg faisait des réserves sur la police française. Il la jugeait efficace dans la lutte contre les communistes, mais trop peu zélée dans la chasse aux juifs.

En septembre les Allemands envahirent la zone italienne et les juifs, jusque-là ménagés, furent à leur tour pourchassés.

La persécution se poursuivit en 1944. La police française prêta encore son concours, comme à Bordeaux en janvier, mais elle n'était plus sûre. Les ss et la Milice en furent réduits à intervenir davantage, mais les résultats furent moins bons.

Le nombre des déportations, qui avait atteint 42 500 en 1942, tomba à 22 000 en 1943 et à 12 500 en 1944. Mais les rafles furent brutales et touchèrent les juifs français.

Le commissariat, où Darquier discrédité fut remplacé par du Paty de Clam, puis par Antignac, continua son activité brouillonne, organisant un nouveau recensement, élaborant un statut rigoureux. L'antisémitisme restait en honneur à la radio avec les éditoriaux de Philippe Henriot, puis de Vallat et de Marion.

A la fin de l'occupation 76 000 juifs avaient été déportés dont 2 500, soit moins de 3 % ont survécu. Parmi eux 22 000 étaient des citoyens français. Les Allemands pourtant n'étaient pas satisfaits.

La responsabilité du gouvernement de Vichy n'en est pas moins très lourde, d'autant que les dirigeants français, sans connaître avec précision les mécanismes d'extermination, savaient parfaitement, et cela dès l'été 1942 que les juifs déportés étaient promis à un affreux destin.

II. — Le calvaire des déportés

1. **Le système concentrationnaire.** — Les camps de concentration (KZ) sont apparus dès le début du régime nazi, ainsi en 1934 Dachau et Oranienburg. Ils étaient destinés à recevoir des Allemands suspects d'hostilité à l'égard de l'Etat hitlérien.

A la veille de la guerre, il existait une vingtaine de camps placés sous le contrôle d'Himmler et des ss, dont Buchenwald, Auschwitz, Maidanek, Mauthausen, Neuenganme, Bergen-Belsen, Ravensbrück. Avec la conquête de l'Europe et l'action de la Gestapo, les camps prirent une grande extension : un camp comme Buchenwald pouvait contenir 40 000 personnes.

Les camps formaient un univers à part, rigoureusement organisé. Au sommet, le commandant entouré de la petite troupe de ss, et dans les camps de femmes, les *Aufseherinen*. En dessous, les nombreux petits chefs, les *Kapos*, sélectionnés avec soin surtout parmi les « droit commun », un peu mieux nourris et traités, redoutables dans la mesure même où seul un zèle brutal leur permettait de conserver leurs privilèges. Tout en bas, des responsables de baraque ou de *Block*, cantonnés dans un rôle subalterne.

Le décret *Nacht und Nebel* prévoyait d'astreindre les déportés à des travaux exténuants dans de véritables camps d'extermination. Mais au printemps 1942, dans le cadre des besoins de l'économie de guerre, le général ss Pohl suggéra à Hitler de tirer le maximum de travail des déportés. L'idée de productivité l'emportait sur celle d'élimination.

Les déportés, groupés en *Kommandos*, furent utilisés pour assécher des marais, extraire la pierre, le sel, le minerai, construire des routes, creuser des abris, fabriquer du matériel de guerre. Les grandes firmes achetèrent aux ss cette main-d'œuvre à bon marché. Ainsi l'*IG Farben* installa dès 1941 une usine chimique à Auschwitz.

Les *NN* et les politiques furent à nouveau exterminés à partir de 1944. Au Struthof, en Alsace, les détenus exténués étaient achevés à coups de matraques ou abattus par les sentinelles. Les derniers convois qui partirent à l'été 1944, comme celui de Loos le 2 septembre, n'eurent que peu de survivants.

Les déportés non raciaux sont évalués à 65 000. Un sur deux environ est revenu de l'enfer.

2. **Les techniciens de la mort.** — — La découverte des camps par les troupes alliées, l'horreur des char-

niers, les révélations des survivants en habit rayé ont causé une émotion considérable. Peu à peu a été connue l'organisation méthodique du génocide et de l'extermination.

Les déportés *(Häftlinge)* étaient entassés à plus de 100 dans des wagons à bestiaux destinés à 40 hommes. Au bout de trois à cinq jours, à l'arrivée, il y avait déjà des morts.

Lorsque le train avait franchi la barrière du camp où était inscrite, par dérision, la devise : « *Arbeit nacht frei* » (« le travail rend libre »), les détenus étaient alignés par les *Kapos*. Certains, notamment les plus faibles, étaient désignés pour une extermination rapide.

Le gros des déportés était rassemblé dans des baraques. Ils étaient rasés, tatoués, vêtus d'un treillis rayé, affectés à un *Kommando* de travail. Levés à la pointe du jour, ils subissaient l'appel par n'importe quel temps et partaient pour une journée de travail de onze à douze heures. Ceux qui ne résistaient pas à la fatigue étaient abattus sur place.

L'alimentation était prévue pour la mort lente : un bouillon le matin, une soupe à base de rutabagas avec quelques bribes de viande à midi, un autre bouillon maigre le soir, une livre de pain, en principe par jour.

A la Libération beaucoup pesaient autour de 40 kg et ressemblaient à des squelettes décharnés.

Les déportés subissaient aussi le froid, les poux, les épidémies (tuberculose, dysenterie, typhus), les bastonnades, le cachot. L'entrée à l'infirmerie, le *Revier*, était souvent le prélude à la mort. Les détenus, qui avaient été les auteurs de quelque faute ou qui avaient tenté de fuir, étaient pendus publiquement, tandis que l'orchestre composé de déportés jouait pour les ss.

Pour accélérer l'extermination, les nazis utilisèrent

les gaz, par exemple le *Zyklon B*, dans de fausses salles de douche. Les cadavres étaient jetés dans des fosses de chaux vive ou brûlés dans des crématoires.

A plusieurs reprises, les autorités des camps se plaignirent de manquer de moyens pour tenir le rythme d'extermination imposé par Himmler.

On apprit plus tard que les ss tenaient une comptabilité minutieuse des victimes ainsi que des produits récupérés : graisse humaine, cheveux, dents d'or... On sut aussi que des médecins, tel Mengelé, pratiquaient des expériences (mutilations, stérilisations, inoculation de germes morbides) sur des hommes et des femmes à l'intérieur du *Revier*.

Le but était d'avilir, de réduire à l'état de bêtes des individus promis à l'holocauste. Il fallut à ceux qui survécurent beaucoup de force morale, un peu de chance parfois, et surtout une volonté de vivre pour pouvoir témoigner.

Chapitre VIII

LA VIE DES FRANÇAIS

I. — Le temps des privations

1. **La diminution des ressources.** — A la veille de la guerre, le peuple français croyait à la force de son armée et à la richesse du pays. A l'inverse de l'ennemi, il était fier d'avoir tout à la fois « du beurre et des canons ». Jusqu'au mois de juin 1940 la guerre ne modifia pas les habitudes, ni ne dissipa les illusions.

La défaite, puis l'occupation bouleversèrent le pays. Tout changea en quelques jours. L'interruption des échanges avec l'empire priva les Français de nombreux produits : riz, sucre, cacao, café, arachides, caoutchouc. Les importations de charbon, pétrole, métaux, laine, coton, pâte à papier cessèrent brusquement. Les prélèvements allemands firent disparaître les stocks.

La division du pays en deux zones paralysait les échanges. « La France du Sud, constatait Bouthillier, ministre de Vichy, n'avait ni blé, ni sucre, ni pommes de terre, ni graines potagères, ni charbon et fort peu d'orge et d'avoine. La France du Nord n'avait ni vin, ni huile, ni savon. »

Le gouvernement s'efforça d'obtenir un assouplissement de la ligne de démarcation, mais l'occupant n'y fut guère favorable. Il voulut aussi rétablir au plus tôt le trafic en Méditerranée et il y parvint grâce à des négociations avec les Allemands et les Italiens et aussi à une certaine tolérance des Anglais. Ceux-ci, à la demande de Roosevelt, n'appliquèrent pas leur menace d'un blocus rigoureux des côtes françaises.

La reprise des importations en provenance d'Afrique n'eut qu'un effet limité, d'autant que les Allemands firent main basse sur une partie des produits.

La production agricole, en raison du manque de main-d'œuvre, d'essence pour les tracteurs, d'engrais, de semences, fléchit en gros de 25 %. Les achats allemands et l'autoconsommation paysanne raréfièrent les produits sur les marchés.

Dans ces conditions les autorités se devaient d'intervenir pour assurer le ravitaillement. Les Allemands, dès juillet 1940, avaient pris des mesures en zone occupée. Il leur parut ensuite plus habile de laisser au gouvernement français la responsabilité des décisions qui devraient recevoir leur accord.

L'occupant tenait à ce que les rations soient inférieures à celles qui étaient allouées aux Allemands et que les prix soient taxés assez bas pour faciliter les achats massifs des troupes d'occupation. Les protestations des représentants français à Wiesbaden restèrent sans effet. Goering, en août 1942, devait même manifester sa colère contre ces Français, « qui s'empiffrent de nourriture, que c'en est une honte ».

Le gouvernement de Vichy créa un ministère du Ravitaillement, qui multiplia les mesures de taxations, interdictions, restrictions, le tout assorti de sanctions. Le dirigisme naissait de la pénurie.

2. **La nécessité du rationnement.** — Le gouvernement a décidé de doter chaque Français d'une carte de ravitaillement nominative qui lui donne droit, chaque mois, à des feuilles de tickets de couleurs différentes affectées d'un chiffre ou d'une lettre.

Les cartes correspondent à 8 catégories : E (enfants de moins de 3 ans), J1 (3 à 6 ans), J2 (6 à 13 ans), J3 (adolescents de 13 à 21 ans), A (consommateurs de 21 à 70 ans), T (travailleurs de force bénéficiant de suppléments appréciables), C (cultivateurs), V (personnes âgées de plus de 70 ans).

Avec le pain, dont les cartes entrent en vigueur le 23 septembre, les principales denrées sont à leur tour rationnées : le sucre, le beurre, le fromage, la viande, le café, les œufs, l'huile, le chocolat, les pommes de terre, le lait, le vin, le tabac. Peu de produits restent en vente libre et ils n'apparaissent guère aux étalages.

La ration de pain, d'abord fixée à 350 grammes par jour tombe à 275 g en avril 1941, remonte à 300 g à la fin de 1943, fléchit au printemps 1944. En outre, le pain est plus noir, car on incorpore le son à la farine. La ration de viande, qui est de 180 g par semaine, tombe à 45 g à Paris en 1944. Souvent elle n'est même pas « honorée ». On a d'ailleurs institué trois jours sans viande dans la semaine.

La réglementation des restaurants est complexe. Ils sont classés en quatre catégories d'après le prix du repas. La composition des menus est fixée ainsi que la valeur des tickets à remettre par le client.

Les consommateurs doivent aller dans les mairies chercher les cartes et les tickets. Il leur faut lire attentivement le journal qui annonce les rations du mois et parfois des distributions exceptionnelles, le plus souvent de légumes comme les carottes ou les rutabagas. On découpe ensuite le coupon et on va chez le commerçant, où on est inscrit, dans l'espoir que les arrivages, généralement insuffisants, permettront une distribution équitable.

Il faut veiller à ne pas égarer ces petits tickets qui peuvent un jour donner accès à quelque produit, carte d'alimentation, bons textiles, bons matière pour les articles de ménage, carte de tabac...

Quand une distribution est prévue il y a intérêt à être servi dans les premiers, car il y en a rarement pour tout le monde. Faire la queue est devenu une nécessité et une habitude.

Le gouvernement, soucieux de ménager les mères de famille nombreuse, a institué pour elles des cartes de priorité. Mais il y a de fausses cartes et parfois des incidents. Les queues se forment à tout hasard devant des magasins dont on a appris qu'ils pourraient mettre en vente quelque chose et on attend, parfois sans savoir quoi.

Les autorités ont tenté d'interdire les files d'attente, ainsi à Paris en juillet 1941, mais elles se forment spontanément et la police ferme les yeux.

La ration officielle évite la famine. Elle coûte bon marché, de l'ordre de 6 francs par jour, mais elle ne fournit que 1 200 calories, soit la moitié de ce qui était consommé en 1939. Il faut donc trouver le complément.

3. **La hantise du ravitaillement.** — Les initiatives se multiplient pour accroître la production. Le gouvernement de Vichy, qui prêche le retour à la terre, prescrit la mise en culture de terres en friches comme en Sologne ou dans la Crau. Les jardins ouvriers sont encouragés par des subventions et on en crée dans les jardins publics aux Tuileries et au Luxembourg.

Les grandes entreprises mettent du terrain à la disposition de leur personnel, ainsi la SNCF. Les enfants des écoles sont mobilisés pour planter des pommes de terre et faire la chasse aux doryphores. Ils vont ramasser les châtaignes et les glands. Des conseils sont donnés pour élever des poules et installer des clapiers sur les balcons.

Le *Secours national*, organisme privé patronné par le Maréchal, fait œuvre de solidarité en faveur des plus démunis. Il organise des soupes populaires et le goûter des mères. Il alimente les cantines scolaires et distribue des biscuits vitaminés dans les écoles.

Les entreprises créent des coopératives d'achat et ouvrent des cantines pour leur personnel. Les restaurants communautaires (les *rescos*), réservés aux revenus modestes, nourrissent plus de 200 000 Parisiens. Les restaurants universitaires sont très fréquentés malgré des menus misérables.

Mais surtout les citadins vont se ravitailler à la campagne. Ceux qui ont des parents vont périodiquement chercher des provisions et reviennent chargés de lourdes valises, au risque d'être arrêtés par les agents de contrôle économique qui fouillent sacs et valises.

Ils peuvent aussi se faire envoyer des colis agricoles d'un poids maximum de 50 kg, et dont le contenu doit être déclaré, et des colis plus petits de 3 kg, dont plus de 100 000 sont distribués à Paris chaque jour.

Ceux qui ont quelque chose à échanger nouent des liens avec des fermiers. Ils obtiennent du ravitaillement contre des tissus, des métaux, des chaussures, des pneumatiques...

Reste le marché noir. Au début de l'occupation la majorité des Français n'y ont pas recours et le jugent sévèrement. Les autorités menacent de lourdes sanctions.

Mais, à partir de 1941, beaucoup de produits ne peuvent être acquis qu'à des prix supérieurs à la taxe. On accepte alors, si on en a les moyens, de payer 3, 5, 10 fois plus cher les denrées dont on a besoin.

Les pommes de terre achetées à 3 F le kg sont revendues en ville à 15 F, la douzaine d'œufs passe de 20 à 120 F, un jambon payé 200 F le kg atteint 1 000 F à Paris ou à Lyon. Avec un salaire de 3 000 F par mois comment se payer 1 kg de beurre à 350 F ou une livre de café à 1 000 F ? Et qui peut fréquenter les restaurants où on mange comme avant, mais à 100 F par tête ?

Les petites gens doivent souvent affecter à la nourriture 75 % de leurs ressources et acheter par exemple une fausse carte de pain qui vaut 150 F en 1943.

Le marché noir enrichit certains paysans peu scrupuleux qui entassent, dit-on, les billets de banque dans des lessiveuses. Il profite aux commerçants, bouchers, crémiers (les *BOF*, beurre, œufs, fromage), épiciers, restaurateurs. Alors que le nombre des faillites s'effondre, les créations de magasins se multiplient.

On voit surgir toute une faune d'intermédiaires qui vont du lycéen, le *J3*, qui préfère les combines aux études, aux gros bonnets qui trafiquent avec les Allemands.

Le marché noir développe un climat malsain de fraude, de corruption, d'argent mal acquis. Les condamnations, 8 000 peines de prison en 1944, ne découragent pas les trafiquants.

Les pouvoirs publics doivent admettre que le marché noir est devenu un moyen de survie. Une loi du 15 mars 1942 exempte de sanctions « les infractions qui ont été uniquement commises en vue de la satisfaction directe des besoins personnels ou familiaux ».

4. **Les difficultés quotidiennes.** — Le ravitaillement est le premier souci, mais il y en a bien d'autres.

Il y a d'abord le froid, très rigoureux pendant les hivers de 1940 et de 1942. Le charbon du Nord, désormais sous contrôle allemand, n'arrive qu'en faibles quantités. Partout où on le peut on se procure du bois dont le prix monte en flèche.

La production d'électricité se maintient à peu près, sauf en 1944. On l'économise en supprimant l'éclairage public et les enseignes lumineuses, en réduisant la puissance des lampes. Un radiateur électrique est un appoint précieux, mais à certaines heures le courant est coupé.

Le gaz, dans les villes, ne donne plus qu'une flamme médiocre qu'il faut canaliser avec un tire-gaz, parfois bricolé avec un tube d'aspirine.

Il est possible de faire cuire les aliments, mais non d'obtenir une température convenable dans les logements. Les grands appartements avec chauffage central sont les plus défavorisés. Il faut se serrer dans une pièce et passer la nuit dans des chambres glacées.

Les lieux publics sont alors très fréquentés. On va chercher un peu de tiédeur dans les cafés, les bureaux de poste, les bibliothèques. A Paris on s'attarde dans le métro. On prend l'habitude de calfeutrer portes et fenêtres, de s'habiller chaudement chez soi, de s'emmitoufler dans son lit. Encore faut-il avoir de bons vêtements, des tricots, des couvertures.

Les restrictions sont en effet sévères pour les produits textiles. La laine, le coton, la soie ne se trouvent plus qu'au prix fort, dans les arrière-boutiques. La carte textile, instituée en juillet 1941, donne droit à des « points » qui sont parcimonieusement débloqués et rarement honorés.

En 1942 est créé « le costume national » utilisant le minimum de tissu de fibranne ou de fibres végétales. Un chansonnier raille « le costume en pur peuplier ».

Il faut alors récupérer les vêtements usagés, les retourner, les remettre au goût du jour. On fouille dans les placards et dans les greniers pour trouver des robes démodées, des châles, des tentures. Des couturières transforment des robes en jupes, des manteaux en vestes, des tricoteuses utilisent la laine de pull-overs délaissés, des remailleuses réparent les bas filés.

Pour ceux qui ont de l'argent il y a au marché noir des fourrures, des canadiennes, des costumes qui valent 4 000 F. La haute couture, par ses extravagances, capelines ou turbans, maintient à Paris sa réputation d'élégance. Ce qui surprend, c'est qu'à force d'ingéniosité les Français arrivent à être habillés correctement, comme pour défier les rigueurs du temps.

Dans la vie courante le maître mot est : récupération. Pour obtenir un article neuf il faut remettre au fournisseur l'ancien : ampoules électriques, tubes de dentifrice, flacons de médicaments, verres, bouteilles. On récupère les chiffons, ferrailles, vieux papiers. Pour 200 g de cuivre on a un litre de vin.

Les produits de remplacement, dont on se moquait avant guerre, sont largement utilisés : la saccharine remplace le sucre ; l'orge ou les glands grillés, le café ; un mélange de suif et de soude, le savon. Le faux tabac est des plus recherchés : on utilise l'armoise, le lichen, les feuilles séchées.

Les possibilités de transport ont changé. Au retour de l'exode ce qui frappe les Parisiens, c'est l'absence de circulation, en dehors des véhicules de la *Wehrmacht*. En 1941, sur les 350 000 automobiles circulant dans le Paris d'avant-guerre, 4 500 seulement ont reçu l'autorisation de l'occupant. Sur les routes, les camions sont équipés d'un gazogène, mais le charbon de bois manque. De nombreuses lignes d'autobus sont supprimées.

On voit reparaître les fiacres tirés par des chevaux

maigres, mais la course est très chère. Les vélos-taxis, une caisse accrochée à une bicyclette ou à un tandem, peuvent rendre quelques services.

Mais pour les Français la façon la plus commune de se déplacer est la bicyclette. Le nombre des vélos, connu par les plaques d'immatriculation distribuées, passe de 8 320 000 en 1939 à 10 711 000 en 1942. Là aussi on récupère des vélos d'un autre âge.

Une bicyclette neuve vaut de 3 000 à 4 000 F, ce qui explique le grand nombre des vols de vélos. Il est prudent, le soir, de monter l'engin dans son appartement. Les accessoires, et surtout les pneumatiques, donnent lieu à un intense trafic.

Le chemin de fer est plus précieux que jamais. La SNCF, en dépit des pires difficultés, s'applique à respecter les horaires. Les trains sont archibondés, surtout au retour vers les villes, car dans les wagons s'entassent voyageurs, valises et colis.

A Paris, le métro connaît une affluence record, jusqu'à 120 millions de voyageurs pour un seul mois. Des stations ont été fermées, les rames sont plus espacées, les voitures sont pleines à craquer, mais le métro est irremplaçable.

La circulation cesse la nuit. Avec le couvre-feu que les Allemands avancent après les attentats de 1941, avec l'occultation des lumières par peur des bombardements, les rues des villes sont plongées dans le silence que trouble à peine le pas lourd d'une patrouille allemande. Les nuits sont longues, parfois lugubres et froides, et la radio, la *TSF*, est la grande distraction.

Bien d'autres difficultés surgissent. Les jeunes ménages ont du mal à se loger, car de nombreux immeubles ont été réquisitionnés et on ne construit plus.

Les travailleurs subissent la baisse de leur pouvoir d'achat. Les prix ont certes été contenus pour l'eau, le gaz, l'électricité, les loyers, les soins médicaux et les produits taxés. Mais la moitié des calories nécessaires à l'alimentation doit être acquise au marché parallèle où les prix ont flambé.

Les salaires, par contre, ont été bloqués. L'occupant y a intérêt, car il compte trouver de la main-d'œuvre en offrant des conditions supérieures. La propagande ne manque pas de montrer les avantages du travail en Allemagne.

La majorité des salariés gagnent entre 2 000 et 5 000 F par mois. Le gouvernement de Vichy a créé l'allocation de salaire unique, augmenté les allocations familiales, accordé quelques indemnités aux fonctionnaires : supplément familial de traitement, indemnité de résidence. Mais alors que les prix officiels ont doublé, les revenus des particuliers se sont accrus en moyenne de 15 %. On comprend le rattrapage considérable, et nécessairement inflationniste, qui s'imposera en 1945.

5. **Le drame des bombardements.** — Les raids anglais ont été nombreux dès la fin de 1940 contre les ports, les installations côtières, les nids de sous-marins et ils ont touché des villes comme Brest, Cherbourg, Calais, Lorient. Les victimes ont été peu nombreuses, car la RAF disposait de moyens limités et visait avec soin ses objectifs.

A partir de 1942, les Alliés multiplièrent les bombardements de nuit sur les nœuds ferroviaires et les centres industriels.

Le 3 mars la RAF, qui avait pour cible les usines Renault, frappa le secteur Sèvres-Saint-Cloud. L'alerte ayant été donnée tardivement, les gens n'avaient pas gagné les abris. La presse parla de 600 morts. D'autres bombardements eurent lieu sur Paris le 4 avril 1943, le 16 août, le 15 septembre. Au printemps 1944, les voies ferrées furent systématiquement pilonnées. Le 21 avril la gare de la Chapelle était l'objectif. Des bombes tombèrent sur Montmartre et les Batignoles. Il y eut près de 500 morts et 2 000 blessés.

Une ville comme Le Havre connut 1 000 alertes en quatre ans. Nantes, le 23 septembre 1943, fut survolée vers 16 heures par les avions alliés. C'était la 321e alerte et la population n'avait pas cru bon de s'abriter. Il y eut 1 150 morts.

Les Français avaient pris l'habitude des alertes. Lorsque la sirène sonne, ils rassemblent en hâte ce qu'ils ont de précieux dans un sac, ils réveillent les enfants endormis et gagnent les caves ou les abris parfois les couloirs du métro.

Tandis que les projecteurs trouent la nuit, que les canons de la DCA tirent, que les premières bombes explosent, les agents de police et ceux de la défense passive organisent la descente vers les abris. Là on s'asseoit sur des bancs ou on se couche à même le sol et on attend la fin de l'alerte.

Lorsque le danger est passé, les secours arrivent. Les pompiers, aidés de volontaires, luttent contre le feu et tentent de dégager les corps enfouis sous les décombres. Au milieu des ruines, on regagne son logement qui, s'il a été épargné, a souvent ses vitres brisées. Pendant plusieurs jours on manque d'eau, de gaz, de vivres.

Un élan de solidarité anime généralement les rescapés. Le *Secours national* distribue du lait, du sucre, des couvertures. Les enfants sont évacués vers des zones plus calmes.

En 1944 il tombe sur la France près de 500 000 bombes. La vie devenant intenable, des villes comme

109

Le Havre se vident, non sans déchirement car on hésite à quitter des lieux familiers.

Les pertes humaines, dues aux bombardements, ont été évaluées à 60 000 morts.

6. **Les incidences démographiques.** — La guerre de 1939-1945 n'a pas représenté pour la France, et fort heureusement, une saignée comparable à celle de 1914. Les pertes militaires ont été de l'ordre de 200 000 hommes auxquels il faut ajouter 40 000 prisonniers morts en captivité.

Les pertes civiles sont de 300 000 personnes, victimes des bombardements, de la déportation, de la répression allemande. La masse de la population a tenu bon en dépit des souffrances imposées par l'occupation.

Certes les privations ont affaibli les organismes. A Paris, lors des examens pour le STO, on constata que les trois quarts des requis avaient maigri, et parfois de plusieurs kilogrammes depuis 1939. Dans les écoles de Montpellier un quart des enfants avaient une taille inférieure à la moyenne.

Les enfants des villes, surtout ceux des quartiers pauvres, souffraient de maladies de carence, anémie, avitaminose... Ils étaient plus sensibles aux grippes et aux affections pulmonaires. Le *Secours national* tenta d'organiser pour certains d'entre eux des séjours à la campagne.

Pourtant la mortalité qui s'est accrue de 1939 ($15,5\ \%_{oo}$) à 1941 ($17,4\ \%_{oo}$) décroît ensuite, alors que pourtant les conditions de vie sont plus dures : $16,9\ \%_{oo}$ en 1942, $16,3\ \%_{oo}$ en 1943.

Il s'agit certes d'une moyenne. La mortalité a baissé dans les départements ruraux, elle a été plus forte dans les grands centres comme Paris ou Lyon.

Dans les villes elle est plus forte dans les quartiers pauvres (20 %$_{oo}$ dans le XXe arrondissement), mais l'écart avec les quartiers riches se resserre, sans doute parce que le changement brutal de mode de vie a davantage touché les milieux aisés.

La diminution de la mortalité s'explique par la disparition des excès de table et le recul de la consommation d'alcool. On meurt moins d'infarctus ou de cirrhose. Surtout il n'y a pas eu d'épidémie grave. Les hôpitaux ont fonctionné en dépit de multiples difficultés et les médicaments essentiels n'ont pas manqué.

Le nombre des suicides a diminué. Il est passé à Paris de 2 354 en 1938 à 720 en 1944, comme si la vie, parce qu'elle est menacée, valait d'être vécue. Les accidents du travail et de la circulation ont été moins nombreux et la criminalité a fléchi.

La natalité, de son côté, a connu une surprenante reprise. L'absence des prisonniers, le départ des travailleurs vers l'Allemagne, les difficultés d'installation des jeunes ménages étaient des conditions peu favorables. Le nombre des mariages a d'ailleurs diminué tandis qu'augmentait légèrement le nombre des divorces.

Or la natalité s'est accrue, passant de 13,1 %$_{oo}$ en 1939 à 15,7 %$_{oo}$ en 1943. Il y a là un renversement de tendance qui s'accentuera après 1945 et qui est dû, moins à la politique nataliste de Vichy, qu'à une volonté de survie.

II. — La recherche des distractions

1. **Les contrastes sociaux.** — Les Français n'ont pas les mêmes possibilités de loisirs. Pour la majorité d'entre eux elles sont assez limitées : visites à la

famille ou chez des amis, réceptions discrètes interrompues avant le couvre-feu, promenades en ville ou dans la proche campagne.

La chasse est interdite, mais il reste la pêche et aussi le jardinage. Le gouvernement de Vichy recommande la pratique du sport. Les spectacles sportifs ont repris, mais il n'y a plus de Tour de France cycliste et les compétitions sont organisées séparément dans chaque zone. Les courses de chevaux attirent toujours beaucoup de monde.

Les bals sont interdits, mais il y a des petits bals clandestins, parfois déguisés en cours de danse ou en gala de bienfaisance.

On lit beaucoup, on écoute la radio, on va au cinéma. On cherche ainsi à oublier la faim, le froid, la peur du lendemain.

Une minorité de privilégiés s'accommodent fort bien de l'occupation. Ils animent la vie mondaine qui a retrouvé tout son éclat.

Le Tout-Paris a retrouvé très vite ses habitudes. Il côtoie sans gêne les uniformes allemands qui sont désormais de toutes les fêtes.

Les gens en vue assistent à la présentation de collections de mode, qui ont repris dès octobre 1940, chez Jeanne Lanvin, Maggy Rouff et Coco Chanel. Ils fréquentent les salles des ventes comme l'hôtel Drouot où l'on vend tableaux, bijoux, livres d'art et où l'on disperse les collections juives.

Les restaurants réputés ignorent les restrictions. L'écrivain allemand Ernst Jünger, en occupation à Paris, constate en dégustant un canard au sang à *la Tour d'Argent* : « En de telles époques manger bien et beaucoup donne un sentiment de puissance. »

Maxims demeure l'établissement le plus en vogue. Il accueille avec les habitués d'avant-guerre, le comte de La Rochefoucauld, le marquis de Polignac, les hôtes nouveaux que sont le ss Maulaz, l'ambassadeur Abetz ou le maréchal Goering.

Les cabarets sont plus nombreux qu'avant-guerre. Ils sont autorisés à garder, portes fermées, leurs clients jusqu'à l'aube. Les occupants et les trafiquants du marché noir y sablent le champagne.

L'Illustration s'en félicite : « Il est heureux que la tradition se conserve. Sans le luxe et le plaisir des uns, il y aurait encore pour d'autres plus de misère et de tristesse. »

Montmartre est le rendez-vous des truands, Jo Attia, Pierrot le Fou, et des hommes de la Gestapo. Le *Tabarin* avec ses revues déshabillées est très apprécié des Allemands. Il en va de même pour le *Lido*, aux Champs-Elysées, qui promet « bonne chère et jolie chair ». De nombreuses maisons de plaisir, auxquelles Vichy a accordé un statut légal, animent le gai Paris, comme le *One two two* où règne en maître Henri Lafont.

Le Tout-Paris fréquente les réceptions données pour la sortie d'un livre ou d'un film, la création d'une pièce, le vernissage d'une exposition comme celle du *Juif et la France* au palais Berlitz en 1941 ou celle du sculpteur Arno Breker à l'Orangerie en 1942.

On trouve côte à côte les piliers de la collaboration, du côté allemand, Abetz, Jünger, Epting, Speidel, et, du côté français, l'ambassadeur de Brinon, l'académicien Abel Bonnard, le cardinal Baudrillart, le journaliste Jean Luchaire, les affairistes Georges Prade et Lionel de Witt.

Le monde du spectacle a ses partisans de l'ordre nouveau avec Sacha Guitry, l'acteur Le Vigan, les comédiennes Corinne Luchaire, Yvette Lebon, Arletty, Marie Marquet, la chanteuse Germaine Lubin, le danseur Serge Lifar, et bien d'autres qui seront inquiétés à la Libération.

Pour le Paris mondain, frelaté, qui fraie avec l'occupant, l'important est de se faire voir dans les coktails de l'Ambassade ou de l'Institut allemand, tout comme dans les salons de Florence Gould ou de Marie-Louise Bousquet.

2. **Le plaisir de lire.** — Pour beaucoup de Français la lecture est le principal moyen d'évasion hors des difficultés quotidiennes. A Paris les prêts dans les bibliothèques publiques ont doublé. Les bouquinistes, sur les quais, vendent aisément tout leur stock. Les libraires sont assaillis de demandes et ils déplorent de ne pouvoir être réassortis.

En effet, le papier manque. L'édition française qui en consommait 32 000 tonnes en 1938 n'en reçoit que 3 000 en 1943. Papier médiocre, impression défectueuse, brochure hâtive, rien n'empêche le succès du livre.

L'édition est soumise au bon vouloir de l'occupant. Les manuscrits doivent recevoir l'agrément d'un Comité de Publication et de la Censure de la *Propaganda* (lieutenant Heller).

Plus d'un millier d'ouvrages doivent être saisis et détruits. Ce sont ceux qui figurent sur *la liste Otto* établie dès septembre 1940, complétée en 1942 et 1943. Il s'agit de livres hostiles à l'Allemagne, d'auteurs anglo-saxons, d'écrivains juifs.

Les éditeurs se sont dans l'ensemble prêtés aux exigences allemandes. Ils ont présenté *la liste Otto* comme une volonté de leur part de créer « une atmosphère plus saine ». Certains se sont engagés dans la collaboration comme Grasset et Denoël.

Les écrivains ont réagi de façon diverse. Quelques-uns se sont exilés, Jules Romains, Maurois, Bernanos. D'autres ont assez vite choisi la Résistance, Vercors, Eluard, Malraux. La plupart d'entre eux ont continué à écrire sous contrôle allemand.

Drieu La Rochelle, qui s'affirme fasciste, remplace Paulhan à la tête de la *Nouvelle Revue française*. Il voudrait maintenir à la *NRF* des écrivains comme Valéry, Gide, Eluard. Il n'y parvient pas, mais il peut compter sur Paul Morand, Mac Orlan, Montherlant, Jacques Chardonne qui fait l'éloge du soldat allemand de 1940.

De nombreux ouvrages cherchent avant tout à distraire. C'est le cas des romans à succès comme *Corps et Ames* de Maxence Van der Meersch, *Le Passe-muraille* de Marcel Aymé, *Premier de cordée* de Frison Roche, et aussi des romans policiers de Simenon, des romans étrangers en vogue comme *Moby Dick* et *Autant en emporte le vent*.

La poésie, parce qu'elle permet l'évasion, connaît un regain d'intérêt avec des recueils et des revues comme *Poésie* ou *Les Cahiers du Sud*.

Mais beaucoup de livres sont inspirés par l'actualité. Il en est ainsi des guides pour la cuisine (adaptée aux restrictions), le jardinage, la pêche, l'élevage des poules, le bricolage.

On trouve aussi des méditations sur la défaite, des éloges du Maréchal, des analyses comme celles de Brasillach *(Notre avant-guerre)* ou de Fabre-Luce *(Journal de la France)*.

Le roman régional exalte le retour à la terre ou à la tradition, avec Giono, la Varende, Henri Pourrat. L'histoire nationale évoque les gloires du passé, Jeanne d'Arc et Napoléon qui luttèrent contre les Anglais, et aussi Proudhon et Péguy qui sont récupérés par la Révolution nationale.

Il n'est pas jusqu'à la philosophie qui n'ait subi l'influence du temps avec l'angoisse existentialiste chez Camus *(Le Mythe de Sisyphe)* et Jean-Paul Sartre *(L'Etre et le Néant)*.

La collaboration trouve dans le monde littéraire de chauds partisans. Ainsi à l'Académie française Abel Bonnard, Pierre Benoit, Henri Bordeaux. Parmi ceux qui ne cachent pas leurs sympathies pour l'ordre nouveau, Montherlant *(Le Solstice de juin)*, Céline *(Les Beaux Draps)*, Rebatet *(Les Décombres)*, Drieu La Rochelle, Brasillach, Alphonse de Chateaubriand, Giono, Jouhandeau, Benoist-Méchin *(La Moisson de 40)*.

La librairie *Rive gauche*, au quartier Latin, dirigée par Bardèche, est la vitrine du livre fasciste, raciste, pro-allemand, de ceux que Maurras lui-même répudie en les appelant « le clan des ya ».

3. **Le succès des spectacles.** — A) *Le théâtre* bénéficie très tôt des faveurs de l'occupant pourvu qu'il se soumette à la censure (lieutenant Rademacher). Au début on assiste surtout à la reprise de pièces confirmées avec des mises en scènes de Copeau, Baty, Jouvet, Dullin. La Comédie-Française reprend les grands classiques et accueille au début de 1941 le *Schillertheater*, puis en 1942 le théâtre de Munich.

Les Allemands voient dans la vitalité du théâtre une preuve de la bienveillance de leur occupation. Le journal *Signal* note en 1944 : « Le théâtre parisien, qui a toujours été le reflet des courants spirituels du pays, a connu l'hiver dernier une saison plus brillante que jamais. »

Le public accueille favorablement la *Phèdre* de Jean-Louis Barrault, le *Richard III* de Dullin, la *Reine morte* de Montherlant, *Sodome et Gomorrhe* de Giraudoux. On discute davantage *Les Parents terribles* de Cocteau, *Le Soulier de satin* de Claudel, *Les Mouches* et *Huis clos* de J.-P. Sartre.

Les journaux de la collaboration publient des critiques virulentes, comme celles d'Alain Laubreaux, contre Cocteau, Dullin, Sartre ou contre des « acteurs scandaleux » comme Jean Marais ou Alain Cuny.

Les spectateurs cherchent des allusions au temps présent. On apprécie le *Pasteur* de Sacha Guitry parce qu'il n'est pas tendre pour la Prusse de 1870. On applaudit à des répliques comme celle de *La Reine morte* : « En prison se trouve la fleur du royaume » ou dans l'*Antigone* d'Anouilh, encadrée de gardes qui ressemblent aux hommes de la Gestapo : « Je suis là pour vous dire non et pour mourir. »

B) *Le cinéma* connaît d'abord des heures difficiles. En zone occupée où sont les trois quarts des salles, les Allemands interdisent la projection de films anglo-saxons et de films d'avant-guerre où figurent des acteurs juifs.

Ils favorisent la diffusion de films allemands de propagande comme le *Juif Süss*, *Le Jeune Hitlérien*, *Président Krüger*, ou de films plus divertissants comme *Le Baron de Münchausen* et les comédies musicales avec les actrices Zarah Leander et Marika Rökk.

Les *Actualités* allemandes suscitent des manifestations dès la fin de 1940, et elles sont alors projetées, lumières allumées, sous surveillance policière.

Le gouvernement de Vichy crée le Comité d'Organisation cinématographique (COIC), chargé de réorganiser l'ensemble de la production. Les juifs sont éliminés de la profession en vertu du statut du 3 octobre 1940. La Révolution nationale inspire des films moralisants comme *La Fille du puisatier* de Pagnol, où on a inséré un appel du maréchal Pétain.

Soumis à une censure rigoureuse et manquant de moyens, le cinéma français, qui bénéficie de l'appui intéressé de la firme allemande *Continental*, va produire en quatre ans 220 films.

Les sujets préférés s'inspirent de l'histoire (*Pontcarral* de J. Delannoy), de l'étude de mœurs (*Douce* d'Autant-Lara), de l'analyse psychologique (*Lumière d'été* de J. Grémillon), du roman policier (*L'Assassin habite au 21* de G. Clouzot), du fantastique (*La Nuit fantastique* de M. Lherbier).

Les deux grands succès sont ceux de films d'évasion, *Les Visiteurs du soir* de M. Carné et *L'Eternel Retour* de J. Delannoy. Dans les deux cas l'amour triomphe de la mort et le public y voit comme un message d'espoir.

Le réalisme critique apparaît dans *Goupi mains rouges* de J. Becker, comme dans *Le Corbeau* de Clouzot qui fit scandale parce que cette affaire sordide de lettres anonymes fut projetée par les nazis en Europe sous le titre *Une petite ville française*.

Malgré des moyens limités et des conditions de tournage difficiles, le cinéma français a produit des films de qualité et lancé la carrière de nombreux jeunes acteurs, François Périer, Bernard Blier, Jean Marais, Gérard Philippe...

3. **La musique et les chansons.** — L'Opéra de Paris, dont Hitler a admiré l'architecture lors de son bref passage dans la capitale, rouvre dès août 1940. Les Allemands assistent nombreux aux spectacles wagnériens de 1941 comme *L'Or du Rhin* et surtout *Tristan et Yseult* avec l'orchestre de Berlin dirigé par von Karajan. Mozart et Strauss sont aussi à l'honneur.

La danse a, tout autant que la musique, la faveur de l'occupant qui comble de prévenance Serge Lifar, auteur de prestigieux ballets.

L'opérette connaît toujours le même succès populaire, notamment grâce à Henri Varna au théâtre Mogador avec *Valses de Vienne*.

Dès leur arrivée à Paris, les orchestres de la *Wehrmacht* multiplient les récitals de fanfares militaires. L'Institut allemand organise des concerts associant des exécutants des deux pays. Ainsi les deux pianistes Alfred Cortot et Wilhelm Kempf donnent un concert commun en 1942.

Tandis que les pouvoirs publics encouragent les *JMF (Jeunesses musicales de France)*, la radio retransmet les grands concerts comme ceux de Mengelberg jusqu'en juin 1944.

Le jazz, qu'on aurait pu croire menacé en raison de ses origines américaines, séduit la jeunesse qui adopte la mode « swing » lancée par Johny Hess.

Ainsi naît le mouvement « zazou » qui est une forme de protestation apolitique contre l'austérité du temps. Une mode vestimentaire naît avec, pour les garçons, des vestons longs, des pantalons courts, des chaussures à grosses semelles, les cheveux taillés en plumet, et, pour les filles, des jupes courtes, des pulls à col roulé, des galoches à semelles de bois.

Le tout se trémoussant, au grand scandale des militants de la collaboration qui dénoncent cette « musique nègre, juive, américaine ».

Mais le jazz est le plus fort avec les orchestres de Fred Adison, Aimé Barelli, Django Reinhardt, Raymond Legrand.

Les chansonniers maintiennent la tradition montmartroise, mais ils sont tenus à une certaine prudence. Ils traitent désormais des désagréments de la vie quoti-

119

dienne, des restrictions, des ersatz, du marché noir. Quelques-uns toutefois, René Paul, Ded Rysel, Jean Rigaux, tentent de décocher quelques piques en narguant l'occupant.

Le *Casino de Paris* accueille les gloires confirmées que sont Maurice Chevalier et Mistinguett. Paul Derval monte des revues luxueuses et bien parisiennes aux *Folies-Bergère*. L'*ABC* est le music-hall à la mode où passent en tête d'affiche la plupart des vedettes de la chanson.

Car on chante beaucoup sous l'occupation. Les prisonniers inspirent Leo Marjane *(Je suis seule ce soir)*, André Claveau *(J'ai pleuré sur tes pas)*, Charles Trenet *(Quand tu reverras ton village)*. La Révolution nationale a son hymne que chante André Dassary *(Maréchal, nous voilà)* et son interprète populaire, Maurice Chevalier *(La Chanson du maçon, Ça sent si bon la France)*.

Parfois un clin d'œil est fait à l'occupant, par Leo Marjane *(Bei mir bist du schön)* ou par Suzy Solidor *(Lily Marlène)*, tandis que Zarah Leander chante en français *(Le Vent m'a dit une chanson)*.

Tino Rossi poursuit sa carrière tout comme Maurice Chevalier et il leur sera reproché à la Libération d'avoir participé à des galas organisés par des mouvements de collaboration. Edith Piaf *(Y a pas de printemps)* et Charles Trenet *(Que reste-t-il de nos amours ?)*, la « môme » et le « fou chantant » deviennent de très grandes vedettes.

La chanson apporte un peu de bonne humeur dans une vie de grisaille. Le temps des privations est aussi celui des distractions qui aident à traverser l'épreuve.

CONCLUSION

L'occupation prit fin pour l'essentiel en 1944 avec l'effondrement du régime de Vichy et la retraite des Allemands.

1. L'Etat français avait perdu après novembre 1942 tous les atouts de la souveraineté : la zone libre, la flotte, l'empire, l'armée de l'armistice. Hitler avait précisé au commandant militaire allemand : « La souveraineté française sera reconnue seulement dans la mesure où elle servira nos intérêts ; elle sera supprimée dès l'instant où elle ne pourra plus être conciliée avec les nécessités militaires. »

La convention d'armistice restait en vigueur, mais la délégation de Wiesbaden ne jouait plus aucun rôle. Abetz, revenu à Paris après une disgrâce d'un an, était simplement là pour transmettre les ordres de Hitler. Oberg et les ss assuraient le contrôle du pays et la lutte contre les résistants.

Pétain, qui était surveillé par un diplomate allemand Renthe-Fink et par les ss, avait dû garder Laval et lui déléguer l'essentiel de ses pouvoirs. Laval s'obstinait dans une politique de collaboration dont Hitler ne voulait pas.

Au début de 1944 les Allemands imposèrent au gouvernement Darnand, Henriot, Déat. Le régime de Vichy devint de plus en plus un Etat policier avec la

Milice et les cours martiales au service de l'occupant.

Alors que la France était soumise aux bombardements aériens, que des affrontements sanglants opposaient Allemands et miliciens aux résistants, comme au maquis des Glières, que Laval avait perdu tout crédit, le Maréchal conservait une certaine popularité, ainsi qu'on le vit à Paris lors de sa visite le 26 avril.

Après le débarquement et devant l'avance des Alliés, Pétain et Laval songèrent à assurer la transmission légale du pouvoir. Pétain chargea l'amiral Auphan de prendre contact avec de Gaulle pour « réconcilier tous les Français de bonne foi ». De Gaulle ne répondit pas.

Laval, de son côté, envisagea de réunir l'Assemblée nationale et, grâce à l'appui d'Abetz, il fit libérer son président Edouard Herriot. Mais Oberg s'opposa à la manœuvre. Laval s'inclina, mais cessa d'exercer ses fonctions le 18 août.

Au même moment les Allemands exigèrent le départ de Pétain vers l'Est. Le Maréchal protesta puis accepta le 20 août. Il se considéra dès lors comme prisonnier. A Belfort, Déat, Doriot, Darnand, de Brinon se disputèrent les bonnes grâces de Hitler pour former un gouvernement.

Au début de septembre, les exilés se retrouvèrent à Singmaringen. Pétain s'installa dans le vaste château des Hohenzollern, tandis que le dernier carré des partisans de l'Allemagne s'agitaient dans des intrigues dérisoires et que l'écrivain Céline, pressentant l'épuration, s'écriait : « Valsez fantôches, à la ballade des fusillés. »

La France avait été progressivement libérée après la percée d'Avranches (25 juillet), le débarquement de Provence (15 août), la libération de Paris (25 août).

L'offensive, stoppée dans l'Est le 15 septembre, reprit en novembre avec la libération de Strasbourg le 25.

Il fallut ensuite repousser l'ultime offensive des Allemands en Alsace où Colmar fut libéré le 2 février 1945 et réduire les poches de l'Atlantique, Royan en avril, La Rochelle en mai. Le territoire fut entièrement libéré le 10 mai 1945 avec l'entrée des troupes françaises à Dunkerque.

2. L'armée allemande avait subi de sérieux revers en 1943. De nombreux chefs de la *Wehrmacht* ne croyaient plus à la victoire et certains songeaient à faire disparaître Hitler.

Pourtant, au début de 1944, les responsables du front Ouest s'apprêtaient à défendre la forteresse Europe. Le général von Rundstedt exigea du gouvernement français qu'il assure l'ordre sur les arrières de la *Wehrmacht*. Sinon les Allemands s'en chargeraient « par tous les moyens ».

Les forces d'occupation représentaient encore en principe 59 divisions dont 10 blindées, mais leurs effectifs étaient incomplets et leur matériel insuffisant. La couverture aérienne était inexistante. Rommel, nommé commandant du groupe d'armées B, fit accélérer la construction du Mur de l'Atlantique.

Le débarquement du 6 juin surprit les Allemands. Ils ne purent empêcher l'établissement de têtes de pont sur le continent, mais réussirent à stopper l'avance alliée jusqu'à la fin juillet.

En même temps ils intensifièrent la lutte contre la Résistance avec un état-major spécial (général von Brodowski). La division ss *das Reich* (général Lammerding) procéda aux massacres de Tulle et d'Oradour (10 juin). Les ss écrasèrent les maquis du mont Mouchet et du Vercors.

Pendant ce temps le complot contre Hitler prenait forme. Depuis le printemps 1944 un certain nombre d'officiers supérieurs songeaient à tuer Hitler et à traiter avec les Alliés. L'exigence d'une capitulation sans condition de l'Allemagne, réaffirmée par Roosevelt et Staline, laissait peu de chance à cette manœuvre.

Les militaires allemands décidèrent cependant d'agir. Le 20 juillet, le colonel von Stauffenberg faisait exploser une bombe au quartier général de Hitler en Prusse-Orientale. Dans un premier temps le bruit courut que le Führer était mort. A Paris, le MBF Stülpnagel, qui était du complot, fit arrêter 1 200 ss dont Oberg et Knochen. Lorsqu'on apprit que Hitler était vivant, il fallut bien les libérer.

La répression fut sanglante. Le maréchal von Kluge, rappelé à Berlin, se suicida. Stülpnagel tenta d'en faire autant près de Verdun, mais il ne fit que se blesser, il fut arrêté et pendu. Rommel lui-même, qui avait eu des contacts avec les conjurés, fut contraint au suicide en octobre.

L'ordre d'évacuation de la France fut donné le 17 août. Deux armées, la 19e et la 1re, opérèrent une retraite en bon ordre (général Blaskowitz) à travers le centre de la France, où se multipliaient les maquis, et au long de la vallée du Rhône, où progressaient les forces de la 1re armée française.

A Paris, où l'insurrection avait éclaté et qu'atteignaient les éléments avancés de la 2e DB de Leclerc, le général von Choltitz signa la capitulation. La capitale accueillit le 27 août le général de Gaulle.

Les responsables allemands quittèrent la France. Oberg participa à la défense des Vosges jusqu'en décembre. Knochen, rappelé à Berlin, fut cassé de son grade. Les deux hommes, condamnés à mort en 1954 et graciés, furent libérés en 1962. D'autres ss s'échappèrent comme Klaus Barbie retrouvé en Bolivie en 1971.

Abetz se cacha dans le pays de Bade, il fut condamné à dix ans de prison en 1949 et libéré en 1954.

Les Allemands entraînèrent dans leur repli les miliciens de Darnand et les Français engagés dans les *Waffen SS*. La division Charlemagne se battit pour la défense de Berlin.

Le 9 mai 1945 le maréchal Keitel signait à Berlin la capitulation du Reich. La France savourait enfin « la volupté d'être en vie à la fin d'une épreuve indicible » (S. Hoffmann).

BIBLIOGRAPHIE

J.-P. Azéma, De Munich à la Libération, Le Seuil, 1979.

Revue d'Histoire de la Deuxième Guerre mondiale, n° 54, avril 1964.

Les occupants :

E. Jäckel, La France dans l'Europe de Hitler, Fayard, 1968.

L. Steinberg, Les Allemands en France, Albin Michel, 1980.

H. Michel, Paris allemand, Albin Michel, 1981.

R. Thalmann, La mise au pas, Fayard, 1991.

Le poids de l'occupation :

P. Arnoult, Les finances de la France et l'occupation allemande, PUF, 1952.

A. Sauvy, La vie économique des Français de 1939 à 1945, Flammarion, 1978.

J. Delarue, Histoire de la Gestapo, Fayard, 1954.

J. Delarue, Trafics et crimes sous l'occupation, Fayard, 1968.

A. Milward, The New Order and the French Economy, Oxford University Press, 1970.

Vichy :

R. O. Paxton, La France de Vichy, Le Seuil, 1973.

S. Hoffmann, Essais sur la France, Le Seuil, 1974.

H. Michel, Vichy année 1940, Laffont, 1966.

H. Michel, Pétain et le régime de Vichy, PUF, coll. « Que sais-je ? », 1978.

J. Delperrie de Bayac, Histoire de la Milice, Fayard, 1969.

J.-P. Azéma, F. Bédarida, Vichy et les Français, Fayard, 1992.

La collaboration :

P. Ory, Les collaborateurs 1940-1945, Le Seuil, 1977.

J. Defrasne, Histoire de la collaboration, PUF, coll. « Que sais-je ? », 1982.

La Résistance :

H. Michel, Histoire de la Résistance en France, PUF, coll. « Que sais-je ? », 6e éd., 1972.

H. Noguères, Histoire de la Résistance en France, Laffont, 5 vol., 1977.

La déportation :

R. Paxton et H. Marrus, Vichy et les Juifs, Calmann-Lévy, 1981.

S. Klarsfeld, Le statut des Juifs de Vichy, Doculais, 1990.

J. Evrard, La déportation des travailleurs français dans le IIIe Reich, Fayard, 1971.

O. Wormser et H. Michel, Tragédie de la déportation 1940-1945, Hachette, 1954.

O. Wormser-Migot, Le système concentrationnaire nazi 1933-1940, PUF, 1968.

La vie des Français :

H. Amouroux, La grande histoire des Français sous l'occupation, Laffont, 1976, 9 vol. parus.

H. Amouroux, La vie des Français sous l'occupation, Fayard, 1961.

H. Le Boterf, La vie parisienne sous l'occupation, France-Empire, 2 vol., 1974.

Les films :

Nuit et Brouillard (1955).

Le chagrin et la pitié (1971).

Lacombe Lucien (1974).

TABLE DES MATIÈRES

Imprimé en France
Imprimerie des Presses Universitaires de France
73, avenue Ronsard, 41100 Vendôme
Janvier 1993 — N° 38 807